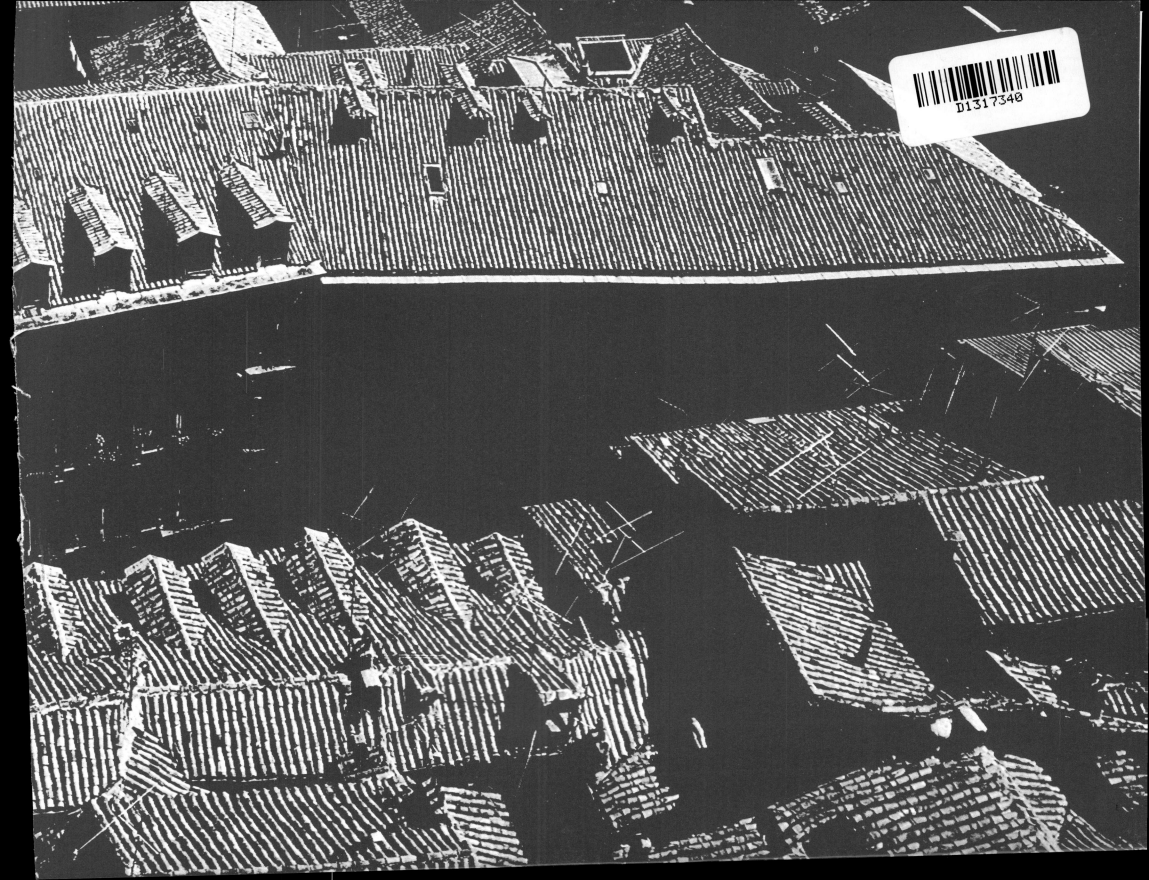

NUESTRO MADRID

© Copyright by Lunwerg
Creación, diseño y realización LUNWERG EDITORES, S. A.
Es propiedad. Reservados todos los derechos.
Prohibida la reproducción total o parcial
sin la debida autorización.
ISBN: 84-85983-68-8
Depósito Legal: B-28246/86
LUNWERG EDITORES, S. A.
Printed in Spain
Beethoven, 12 · 08021 BARCELONA. Teléfono 201 59 33
Núñez de Balboa, 115 · 28006 MADRID. Teléfono 262 80 46

NUESTRO MADRID

To Tess
With my best
Wishes of
friendship
Mana

ESCRIBEN:

UNA CIUDAD PARA TODOS
Enrique Tierno Galván

UN PASEO POR MADRID
Luis Carandell

MADRID Y LOS MADRILEÑOS VISTOS POR SU VECINO MAS ILUSTRE
Su Majestad D. Juan Carlos I

MADRID INDUSTRIAL Y COMERCIAL
Adrián Piera

Fotografía de UN PASEO POR MADRID:
Ramón Masats con la colaboración de Oscar Masats

UNA CIUDAD PARA TODOS

Todas las grandes ciudades europeas, según han ido aumentando de volumen, han ido disminuyendo de personalidad. Puede tomarse esto como un principio general que corresponde a la conversión de la ciudad en cosmópolis. Cosmópolis vendría a ser así la ciudad de todos, y a la vez la ciudad de ninguno. Se apartaría de la originaria etimología de cosmos, en cuanto adorno, y también de las connotaciones que la astronomía romántica, dio al cosmos como unidad de contrarios y armonía universal. Pero hoy, ciertamente, las cosmópolis son ciudades que han rebasado toda cuenta y razón, y respecto de las cuales la definición recogida en unas características suficientes y englobadoras que expresen la personalidad de la ciudad es prácticamente imposible. Así, las ciudades se despersonalizan, o lo que es lo mismo, pierden identidad asumiendo la de todas para quedarse sin ninguna.

Son afortunadas las ciudades que aún no han llegado a la cantidad que suprime o licúa la expresión unitaria de la cualidad. Con casi cuatro millones de habitantes, Madrid sigue siendo Madrid e imprime en el ánimo de sus moradores, y deja en el de los que la visitan, la idea de una ciudad a la que algo definido y decible permite representarla con propiedad e independencia respecto de las demás ciudades del mundo.

Admitido esto, podemos preguntarnos: ¿qué tiene Madrid de peculiar? La peculiaridad de Madrid que el lector va a descubrir o a confirmar en los pormenores y en los rasgos generales a través de este libro descansa en lo que nuestra capital ha sido y en lo que es.

Durante siglos, Madrid ha sido lugar fronterizo y a la vez de tránsito, tal es el sentido de la frontera, ser a la vez una definición que separa y una membrana que exige la permeabilidad y el tránsito. Camino del norte al sur y del sur al norte, por Madrid han pasado, para atravesar el sistema montañoso central y poder ascender hacia las regiones altas del norte, caravanas de comerciantes y masas de guerreros.

La penetración visigótica hacia el sur, camino de la Vandalia, dejó sus huellas en Madrid, como las habían dejado hollando el curso del Manzanares, las emigraciones primitivas, siguiendo los pasos de la declinación que bajaba también hacia el sur hasta encontrar el aquietante comienzo de la gran llanura con la espalda al borde de la montaña. Los árabes subieron atravesando Madrid, para guerrear en el Norte, iniciándose la estabilidad precaria de las primeras fronteras entre los árabes y cristianos en el Reino de Toledo, que guardaba el paso hacia el Sur convirtiendo Madrid en atalaya y fortaleza.

Continuando los meandros de la imaginación, más que la cronología del recuerdo sistemático no hay que olvidar a los romanos del antiguo castro que en Madrid dejaron formales vestigios de su existencia.

El lector verá que Madrid es, en el fondo, resumen y espejo de toda la Nación; el resultado de varias mezclas raciales e ideológicas. Desde un principio por su condición fronteriza de tránsito, tenía un primer conato de centro y común referencia al que acompañaba y subrayaba su condición de estar en el centro geográfico peninsular.

Sin exageración se puede hablar de Madrid Crisol y lo acrisolado de Madrid es la capacidad de sintetizar y dar carácter, pero ¿qué carácter? Sin duda, la universalidad unida a la fisonomía histórica de una ciudad múltiple a la que según historiadores y literatos recordaban, se iba definiendo hasta alcanzar al fin la característica peculiar de ser capitalidad próxima a una gran universidad, Alcalá, a una grande referencia institucional religiosa, Toledo, y a las fuerzas mercantiles del Norte y del Sur que se daban cita en Madrid. Aparece de este modo como una ciudad definida por su propia actividad y contenido, más que por el sello de las grandes instituciones religiosas o económicas.

Felipe II, eligiéndola como lugar de reposo y de dominio, la caracterizó como ciudad administrativa y este hecho, yuxtapuesto a su historia, ha sido el que ha servido para definir a Madrid tal y como fundamentalmente es, ciudad hospitalaria, de la conversación, del gusto por el espectáculo callejero, dada a la crítica y al eterno comentario a la que todo le es propio y nada extraño.

Al producirse como consecuencia de la exaltación literaria del romanticismo la idea y el sentimiento de la Nación como fundamento e impulso de las comunidades históricas, Madrid, en cuanto Capital, adquirió su propia personalidad exaltada y tópica y cuanto era se expresó a través de la imagen de un pueblo libre, gozoso de su libertad, dado al ingenio y al ocio.

Quizá sea conveniente romper esta imagen única y tópica de Madrid, sin destruir lo que tiene de cierto. Es mucha verdad que los madrileños aman la calle, el ocio que fomenta el ingenio y el ingenio que conlleva actitudes de crítica y humor, pero sobre esto o además de esto está el Madrid responsable, trabajador, intelectual y académico. De este Madrid se suele hablar menos y no debemos, sin embargo, dejarlo en el olvido. Este es también Madrid y quizá el que más y mejor se ha definido a sí mismo y más se ha dado a España y a Europa.

La generación del 98 tiene su lugar en Madrid. Si las ideas se expresan en un lugar definido donde residen quienes las formulan, Madrid es el lugar del 98. De todas las partes de España confluyeron a nuestra capital, y en ella, es decir, impregnados por su singularidad, literatos y científicos, dijeron lo que tenían que decir. En el período glorioso que va del año 20 al año 35, Madrid se convierte en la capital literaria de Europa al menos en cuanto a centro impulsor y creador de nuevas fuerzas que sobresalían de los convencionalismos y tópicos. La obra literaria de Baroja, Valle Inclán, Azorín, incluso Unamuno, tiene caracteres urbanos que se refieren al Madrid, complejo y sencillo a la vez, de aquellos años. Lo que algún tiempo antes había sido obra casi exclusiva de Galdós, que convertía Madrid en el escenario de ideas y pasiones, es después una obra conjunta de varios gigantes de la literatura. En este momento el Madrid castizo cristalizado en fórmula, gracias a la zarzuela y el sainete, sin olvidar que el casticismo, se engrandece y en cierto sentido se purifica a través de las desdichas y alegrías de los personajes como si fuesen personas que por sus calles circulasen.

D. José Ortega y Gasset culmina la condición de Madrid como lugar de la inteligencia castiza y universal a la vez. De esta manera nuestra ciudad perfila sus condiciones de vieja historia que permanece, de transición y universalidad a la vez que de paso, fisonomía que acepta desde lo caricaturesco y sainetero hasta la más alta expresión de la inteligencia reflexiva. Madrid pasa a ser y constituye el microcosmos de España y lugar preciso de referencias europeas.

Esta prodigiosa historia la vamos a seguir a través de lo más cotidiano y sencillo; de las fachadas, de los rincones, de los parques, de las calles, a través de las ilustraciones gráficas y de las páginas de este libro que es recuerdo de Madrid, presente de Madrid y condicionamiento permanente para que sepamos cómo ha de ser el futuro de Madrid.

Madrid se transforma, la transformación urbana dirigida desde la Corporación Municipal es en nuestros días, en muchos aspectos, revolucionaria. Madrid se enriquece con nuevos jardines, con nuevas, múltiples y universales actividades culturales, con fiestas que recogen lo que ha sido y la inmensa pluralidad que es, Madrid camina hacia el futuro sin olvidar el riquísimo pasado y el presente que de continuo renueva y transforma. Madrid castizo y universal, pueblo de Europa y resumen de España.

ENRIQUE TIERNO GALVAN

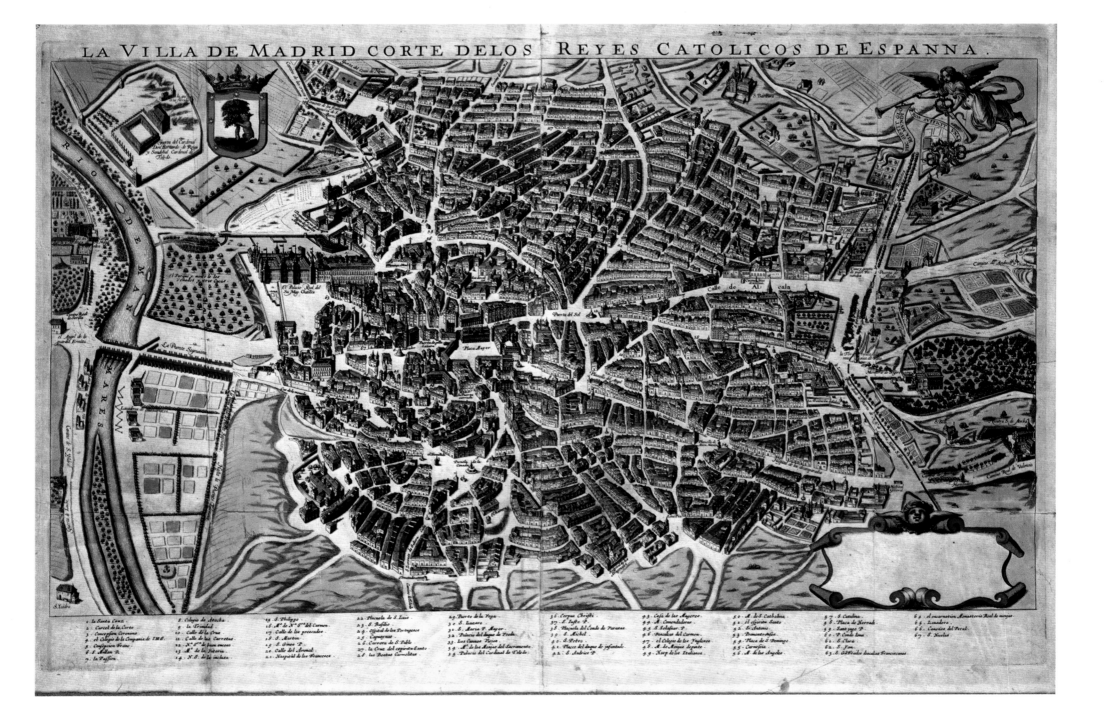

LA VILLA DE MADRID CORTE DELOS REYES CATOLICOS DE ESPANNA.

A CITY FOR EVERYBODY

According as they have gained in size, all the great cities of Europe have lost something of their personality. This may be taken as a general principle that applies whenever a city becomes a cosmopolis. Thus a cosmopolis is at once the city of everybody and the city of nobody. This would take it away from the original etymology of *cosmos*, meaning "world", and also from the connotations with which romantic astronomy endowed *cosmos* as unity of opposites and universal harmony. But today, certainly, a cosmopolis is a city that has grown to inordinate size, one with regard to which it is practically impossible to establish any definition based on characteristics sufficiently all-embracing to express the personality of the place. Thus cities become depersonalized —or, which amounts to the same thing, they lose their identity by assuming one common to all and being left with none of their own.

Happy are those cities which have not yet reached an extreme of quantity that precludes any unitary expression of quality. With almost four million inhabitants, Madrid is still Madrid. It still imprints on the minds of its citizens —and leaves in those of its visitors— the idea of a city which can be properly represented by something definite and expressible that distinguishes it from other cities in the world.

Admitting this, we may then ask: what are the peculiar characteristics of Madrid? The peculiar quality of Madrid —which the reader is about to discover, in general and in detail, through this book— lies in what our capital has been and in what it is.

For centuries Madrid has been both a frontier town and a place of passage. For that, after all, is what a frontier is: at once a definition that separates and a membrane that demands permeability and passage. Madrid lies on the route from north to south and from south to north, and through it have passed caravans of merchants and hordes of warriors, to cross the central mountain ranges on their way up to the high regions of the north.

The southward march of the Visigoths, on their way to a new Vandalia, left its traces in Madrid, as did the primitive migrants, following the course of the Manzanares in a descent that also took them down to the south, to the reassuring borders of the great plain that stretched away from the foothills behind them. The Moors passed through Madrid too, marching to wage their wars in the north. And thus began the precarious stability of the first frontiers between Moors and Christians in the Kingdom of Toledo, which guarded the passage south by making Madrid a watch-tower and a fortress.

Following these meanderings of the imagination rather than the strictly chronological paths of history, we will also call to mind the Romans, who established one of their *castra* hereabouts and left numerous traces of their presence.

Thus the reader may see that Madrid is, in fact, a summing-up and a mirror of the whole nation: the result of several minglings of races and ideologies. From the very beginning its frontier position made it an obvious meeting-place, and all the more so because it also lies almost at the exact centre of the Iberian Peninsula.

Without much exaggeration we may speak of Madrid as a melting-pot; and the peculiar virtue of that pot is to synthesize and give character. But what sort of character? Undoubtedly, one of universality combined with the historical physiognomy of a multiform city which, as its writers and historians remind us, gradually took on a definitive shape and finally came to have the character to be expected of a capital that was close to a great university, Alcalá, to a great bastion of institutionalized religion, Toledo, and to the great mercantile interests of the north and the south, which came together in Madrid. In this way it can be seen as a city defined by its own activity and content rather than by the stamp of any great religious or economic institutions.

By choosing Madrid as both a place of leisure and his seat of power, Philip II gave it the character of an administrative city; and it is this, in conjunction with its history, that has served to define Madrid as it basically is: a hospitable city, a town of conversation, with a great taste for the constantly-changing show of street life and a propensity to criticism and to eternal gossip about everything under the sun.

When the literary exaltation of Romanticism gave rise to the idea and feeling of the Nation as the basis and impetus of al historical continuity, Madrid as capital acquired its own exalted and rather trite personality and all its character came to be expressed through the image of a free people, delighting in its freedom and given up to wit and idleness.

Perhaps it might be as well to break this hackneyed but usually unchallenged image of Madrid, without destroying such truth as there is in it. And it is quite true that Madrid people love street life, the idleness that fosters wit and the wit that implies critical and humorous attitudes. But over and above this —or apart from this— there is a Madrid that is responsible, hard-working, intellectual and academic. This Madrid is not so much talked about, and yet it should not be forgotten. For this, too, is Madrid, and perhaps the Madrid that has best defined itself and has given most to Spain and Europe.

The turn-of-the-century group of writers and philosophers famous in Spain as the "Generation of '98" also had their chief seat in Madrid. If ideas are expressed in a definite place where those formulating them live, then Madrid is the city of the Genieration of '98. From all over Spain they converged on our capital, and in it —that is to say imbued with its singular character— these philsophers and writers said all they had to say. In the glorious years between 1920 and 1925, Madrid became the literary capital of Europe, at least insofar as it was a centre promoting and creating new ideas that went far beyond conventional notions and clichés. The literary work of Baroja, Valle Inclán, Azorín, and even Unamuno, has urban features that are associated with the Madrid of those years, at once complex and simple. What only a short time before had been almost exclusively the work of Pérez Galdós, who had made Madrid a vast setting for ideas and passions, now became the joint work of several literary giants. It was now that the "authentic" Madrid was reduced to a formula by the writers of the Spanish

operettas known as *zarzuelas* and the one-act comedies called *sainetes*; though it must be admitted that the authenticity becomes greater and to some extent purer through the joys and sorrows of the characters in these works, as though they were real people walking the city's streets.

The philosopher Ortega y Gasset really set the seal on Madrid's reputation as a centre of both the "authentic" and the universal intelligentsia. In this way Madrid finally acquired the character of a city with a long history which is everywhere present, not only a place of passage but also one of transition and universality, accepting everything from the crudest manifestations of the popular theatre to the most elevated expression of the reflective intelligence. The city then became what it is now: a microcosm of Spain and a place with a definite role to play in Europe.

Now we are going to trace this prodigious history through the simplest, most everyday details: the façades and quiet corners, parks and squares, to be found in the illustrations and text of this book, which is at once a memory of Madrid, the present of Madrid and a permanent suggestion to us of what the future of Madrid will be like.

For Madrid is being transformed. In many aspects this transformation of the city by the Town Hall in recent years is revolutionary. Madrid is being enriched with new gardens, with a multiplicity of new and universal cultural activities, and with festivities and celebrations that recall what it has been and remind us of the immense variety it now possesses. Madrid marches forward into the future without forgetting its abundant past and that present which it is constantly renewing and transforming. Madrid: authentic and universal, a city of Europe and an epitome of Spain.

ENRIQUE TIERNO GALVAN

UN PASEO POR MADRID

LUIS CARANDELL
RAMON MASATS

Cuando el editor Luna Wennberg me pidió que escribiera un «paseo por Madrid» para este libro colectivo pensé que tenía por lo menos tres razones para aceptar el encargo. En primer lugar, me une una amistad antigua y buena con Ramón Masats, el fotógrafo cuyo arte no necesito ponderar y que es el verdadero autor de este libro; en segundo lugar, soy un enamorado de Madrid y no de los que hoy se dan prisa por descubrir la belleza y el encanto de esta ciudad sino de los de toda la vida; y en tercer lugar, he sido y soy aún en muchos aspectos lo que antes se llamaba «un paseante en corte».

Mucho he andado yo en efecto por Madrid y no sólo en el sentido itinerante del término. Andar en castellano significa más cosas que ir de un sitio a otro. Significa también meterse o estar metido, rebuscar, hurgar o fisgar en las cosas. De mi curiosidad madrileña, que mi oficio de periodista no ha hecho sino profesionalizar, me queda una colección de trabajos de prensa y un libro que titulé «Vivir en Madrid» en el que intenté transmitir el tono, la atmósfera de la vida de la ciudad.

He de decir, porque el lector tiene derecho a conocer las limitaciones de su acompañante en este paseo capitalino, que yo no soy lo que se llama un escritor madrileñista ni, mucho menos, un estudioso de Madrid. Lo que sé de su historia, de su arquitectura, de su arte, de sus fiestas y costumbres tradicionales lo debo a la lectura de los libros de Pedro de Répide, Juan Antonio Cabezas o de ese pozo de ciencia madrileña que es Federico Carlos Sainz de Robles. Se los recomiendo muy vivamente.

Todos sabemos el daño que el rápido crecimiento de la ciudad en estos años ha hecho al Madrid histórico por el que va a transcurrir nuestro paseo. Sin caer en la falacia de que todo lo antiguo es bonito y todo lo nuevo es feo, cosa que está muy lejos de ser cierto, hemos de reconocer que Madrid ha perdido buena parte de su carácter. Pero, para los efectos de este libro, creo que en vez de lamentarlo, haríamos bien en intentar redescubrir o reencontrar lo mucho que queda de lo que podríamos llamar el Madrid auténtico. En ocasiones habremos de sortear construcciones nuevas para encontrar lo que buscamos. Pero, en otras, nos daremos cuenta de que lo único que no nos permitía ver las cosas era nuestra propia prisa en la ajetreada vida de hoy.

Una ciudad, claro, no es sólo sus monumentos, sus edificios o sus parques. Una ciudad es también o quizá más bien, la vida que en ella transcurre. Y, en este sentido, el cicerone que les ha tocado en suerte intentará darles algunas claves de la vida madrileña según los encuentros de nuestro paseo vayan dándonos motivo para ello.

Las ciudades experimentan cambios profundos con el paso del tiempo y en Madrid este cambio ha tenido en años recientes manifestaciones espectaculares. De la ciudad de un millón de habitantes que yo mismo conocí en los años cuarenta hemos pasado a una conurbación de cuatro millones. Y, sin embargo, hay algo en las ciudades que parece permanecer por encima del tiempo, algo que podríamos llamar el estilo, el alma de la ciudad. El Madrid de los siglos XVI a XVIII tiene muy poco que ver con la ciudad de hoy. Pero leyendo a los clásicos de nuestra literatura, y hay que decir que buena parte de la literatura española tiene por escenario a Madrid, encontramos ambientes, paisajes urbanos o personajes que nos resultan familiares y que parecen pertenecer a la ciudad actual.

Mucho ha cambiado Madrid desde que el rey Felipe II, hace cuatrocientos años, decidió establecer su capital en el viejo burgo mesetario al que los árabes llamaron Magerit. Pero entre los escritores del tiempo de los Austrias, —Quevedo, Lope de Vega, Calderón de la Barca— y los de nuestra época, —Baroja, Camilo José Cela—, pasando por Galdós y por Larra hay una continuidad literaria que nos confirma que estamos en la misma, aunque cambiante ciudad.

El diablo cojuelo

Pero ya que de clásicos hablamos y para emprender sin más dilación el prometido paseo, le pediremos prestado a don Luis Vélez de Guevara su más celebrado personaje, el Diablo Cojuelo, para que haga con nosotros lo que hizo con el estudiante don Cleofás Leandro Pérez Zambullo. Cuenta en efecto el ilustre novelista y dramaturgo que habiendo liberado don Cleofás a un demonio que estaba preso en la redoma de un astrólogo enemigo suyo, tanto se lo agradeció el diablo que le dijo: «Vamos, que quiero comenzar a pagarte en algo lo que te debo». Y, tomando el demonio por la mano al estudiante, salieron los dos por la buhardilla en que estaban «como si los dispararan de un tiro de artillería, no parando de volar hasta hacer pie en la torre del Salvador, mayor atalaya de Madrid».

Desde allí el diablo, que era cojo porque se le habían caído todos los demonios encima el día en que Dios arrojó a Lucifer y a su séquito del paraíso, mostró a su nuevo amigo la ciudad. Y no sólo la ciudad por fuera sino que por arte diabólica, (y por genial artificio literario de Vélez de Guevara), levantó los tejados «y se descubrió la carne del pastelón de Madrid».

Tan servicial demonio no nos llevaría hoy, quizá, a la torre de una iglesia, en los secularizados tiempos que corren, y tal vez gustaría de impresionarnos subiéndonos a la altura de algún rascacielos como la Torre de Madrid o el Edificio España.

En cuanto a Ramón Masats, otro diablo haciendo fotos, adonde se subió fue a la torre de la iglesia de la Santa Cruz para mostrarnos toda la belleza de este paisaje de tejados de Madrid cuya visión no debiera perderse nadie que desee preciarse de conocer la ciudad. Contemplando estos viejos tejados moriscos, se entiende muy bien que la gente de Madrid considerara a su ciudad como un pueblo y dijera aquello de «¡Viva Madrid que es mi pueblo!». Estos tejados del barrio de los Austrias tienen algo de rural y debieron ser obra de los alarifes moriscos que la capital heredó del viejo poblachón manchego de la Edad Media.

La Plaza Mayor

La torre de la iglesia a la que, por diabólica inspiración, y no es poca paradoja, hemos subido, se halla en la proximidad de una bonita plaza, la de la Provincia, donde se alza el actual Ministerio de Asuntos Exteriores, el palacio de Santa Cruz, que en tiempos fue Audiencia y cárcel de corte. Bajo los soportales de la plaza solían tener sus puestos los escribanos que se dedicaban a redactar instancias y a escribir cartas para la gente que no podía hacerlo por sí misma.

Pero la Plaza de la Provincia está, podríamos decir, oscurecida por la vecindad de la Plaza Mayor. Este es el centro del antiguo Madrid, del Madrid que decidió dejar de ser un pueblo, aunque sin conseguirlo del todo, para convertirse en capital. Quien, cualquier domingo por la mañana, asista en esta plaza a la Feria del Sello o, en los días de Navidad, pasee entre las casetas donde se venden figuras de nacimiento, objetos para gastar bromas y matracas y zambombas para meter ruido en las fiestas, estará viendo apenas una sombra de lo que debieron ser los mercados y los festejos que se celebraban en esta plaza en tiempos pasados.

Toda la vida comercial, religiosa, política de la ciudad se convertía en espectáculo y en esta «plaza para todo» donde lo mismo se quemaba a un hereje que se canonizaba a un santo, se celebraba la coronación de un rey o la promulgación de una Constitución. Uno de los acontecimientos más sonados que deben recordar las piedras de la Plaza Mayor fue el del ajusticiamiento de Don Rodrigo Calderón, el famoso valido de Felipe III condenado a muerte por haber abusado de su cargo y que ha quedado como paradigma del orgullo y de la arrogancia porque iba desafiando a todos con la mirada y con su gallarda actitud cuando era conducido al patíbulo.

El «todo Madrid» de la época asistía en esta plaza lo mismo a un auto de fe que al estreno de una comedia de Lope de Vega, a extrañas procesiones de penitentes que se golpeaban el pecho con piedras o a espectaculares fiestas de toros y caballos. En años recientes, cuando Madrid parece querer recuperar algo de su tradición perdida en el vertiginoso crecimiento de la ciudad, asistimos a una revalorización de la Plaza Mayor y de todo el barrio de los Austrias. Los cafés y restaurantes de la plaza están llenos, y no sólo de turistas, sino de familias con niños, esos niños de Madrid que en el verano, para sorpresa de los visitantes, corretean y juegan incansables hasta la madrugada. Alrededor de la estatua de Felipe III, puede verse a grupos de jóvenes haciendo música o simplemente, ruido. Y, en las fiestas patronales de San Isidro o en los Carnavales, la plaza vuelve a rebosar con la alegría de una ciudad que quiere reencontrar sus tradiciones.

Un paseo bajo los soportales nos permitirá ver algunas interesantes tiendas. Hay antiguas joyerías y platerías, casas de filatelia y numismática, rancias jugueterías y tiendas de souvenirs y alguna sombrerería donde uno puede comprarse una boina de Tolosa, una gorra inglesa, un tricornio o una chistera.

El húsar emparedado

Estos barrios en torno a la Plaza Mayor, tradicionalmente habitados por gentes del Madrid que pudiéramos llamar galdosiano, están atrayendo hoy a muchos madrileños de otros distritos, que se trasladan a vivir a la ciudad antigua donde tienen garantizado encontrar un remanso de paz y tranquilidad ciudadana y también alguna sorpresa. Si mi benévolo acompañante me lo permite, le contaré una historia que lo demuestra. No hace mucho, un conocido mío que vive en una casa del barrio de los Austrias, descubrió que una de las habitaciones no daba a la habitación contigua sino que tenía un falso tabique que, de ser derribado, permitiría ampliar la estancia.

Ni corto ni perezoso, mi amigo comenzó a golpear con un martillo el falso tabique y cuál no fue su asombro cuando, al asomarse provisto de una luz en aquel hueco, descubrió nada menos que el cuerpo de un húsar uniformado. Deliberó la familia sobre lo que debían hacer con el emparedado y, pensando en el mucho papeleo y los trámites legales que tendrían que seguir para explicar el macabro hallazgo, decidieron volver a cerrar el tabique, dejando al húsar donde estaba, en lo que hasta hoy sigue siendo su última e insólita morada.

La Plaza Mayor de Madrid fue proyectada por el arquitecto don Juan Gómez de Mora en 1617 y reconstruida después de varios incendios por Juan de Villanueva, uno de los grandes arquitectos de Madrid, autor del Museo del Prado.

Villanueva, impresionado sin duda por el último de los grandes incendios de la plaza, el de 1790, cambió la madera por la piedra, diseñó los arcos de entrada a la plaza y uniformó la altura de los edificios con la Casa de la Panadería en el lado norte de la plaza. Esta casa, que se llama así porque en sus bajos debió existir en tiempos una tahona, es la construcción de más empaque de la plaza y sus balcones fueron el palco desde donde los reyes contemplaban los espectáculos que en ella se celebraban. Se cuenta que un rey enamoradizo, Felipe IV, mandó construir en esta casa un balcón provisional para que pudiera asistir a una fiesta una favorita suya. Una muestra, como dice un escritor, de la picaresca madrileña, aunque esta vez de la «picaresca real».

«El ligue»

Amoríos, lo que se llama amoríos no los encontrará probablemente el viajero en los bares y mesones que hay en la Plaza Mayor y en sus proximidades. Es fácil, en cambio, que encuentre algún «ligue». «Ligar» en castellano, o quizá estaría mejor decir en madrileño, significa establecer con otra persona a la que por lo general se acaba de conocer una relación amorosa de carácter transitorio y que no suele convertirse en «cosa seria». La palabra procede de esa sustancia viscosa que se emplea para cazar pájaros y que se llama «liga».

Bueno, pues los mesones que hay en la Plaza Mayor y en las calles que la rodean, sobre todo la Cava San Miguel y el Arco de Cuchilleros, son el lugar típico, y también tópico, del ligue madrileño. Allí hay establecimientos tan ambientados como las Cuevas de Luis Candelas, famoso bandolero que debió jugar en Madrid el papel de un Dick Turpin que robaba a los ricos para dar a los pobres. El lugar, pese a cierto abuso del tipismo que en él se hace, merece ser visitado. Si se encuentra usted a Candelas con el clásico gorro, la manta al hombro y el trabuco en bandolera, no se asuste: es el camarero.

Una recomendación: no deje de detenerse ante la estupenda fachada curvada que forman los edificios de la Cava de San Miguel. A un paso, está el restaurante «Sobrino de Botín», uno de los más antiguos de la ciudad, célebre por sus asados, y varias tiendas de gran tradición, como la cerería donde pueden encontrarse aún exvotos —manos, pies, corazones de cera— que ofrecer a la Virgen o al santo de su devoción, si es que cree que eso puede sanarle de sus dolencias.

Habremos de perder algún tiempo deambulando por las inmediaciones de la Plaza Mayor. En la calle Postas, por ejemplo, aún pueden comprarse los famosos «hábitos» que la gente vestía, y viste aún en ciertos casos, en cumplimiento de alguna

promesa hecha al Cristo, a la Virgen o al Santo de la advocación elegida. Cada «hábito» tiene su color y va acompañado de los cordones penitenciales. En la Calle Mayor hay varias tiendas de objetos religiosos e imágenes, así como sastres dedicados a la confección de uniformes a medida y establecimientos de «efectos militares».

Las viejas posadas

Bajando por Cuchilleros llegaremos pronto a Puerta Cerrada y, cruzando la calle de Segovia, entraremos en la Cava Baja, que se prolonga hasta la plaza del Humilladero. La Cava Baja es la quintaesencia de lo que queda del Madrid morisco, del Madrid que no dejó de ser pueblo después de haber sido designado capital. Allí hay artesanos de la madera, el latón y el cuero y una colección de viejas posadas —Posada de San Pedro, El León de Oro, Posada del Dragón— a las que llegaban las viejas diligencias de los pueblos y ciudades próximos a Madrid, y que siguen abiertas hasta hoy para alojar a los huéspedes que llegan, no en diligencia pero sí en viejos taxis colectivos y en venerables autobuses. La más famosa, la de San Pedro, conocida por Mesón del Segoviano, tiene unas Cuevas que han sido el precedente de los mesones de que antes hablábamos y que han proliferado en todo el Madrid antiguo.

En Puerta Cerrada, tomaremos la calle de San Justo para visitar la Basílica de San Miguel, con su fachada convexa del siglo XVIII adornada con estatuas. En la preciosa Plaza del Cordón está según dicen la casa de Ivan de Vargas donde vivió como criado el patrón de Madrid, San Isidro Labrador, un santo tan santo que se casó con una santa, Santa María de la Cabeza y que tiene en la calle de Toledo su Catedral. No cabe duda de que Isidro trabajaba duramente de sol a sol en los campos que su señor poseía al otro lado del Manzanares. Pero hay un episodio en su vida que lo pone en duda. Cierto día, Isidro se quedó dormido y sólo un milagro hizo posible que quedara terminado el trabajo que tenía que hacer. Mientras él dormía, dos ángeles araron el campo, evitando así que don Ivan Vargas reprendiera a su santo criado.

La anécdota es muy famosa en toda España y en algunas regiones de la periferia ha sido interpretada como un símbolo del Madrid oficial que dormita mientras el país trabaja. Hubo una época, recuérdese el famoso artículo de Larra «Vuelva usted mañana», en que algunos funcionarios debieron tener tendencia a emular la siesta de Isidro. El milagro, claro, no se producía y las cosas se quedaban por hacer. Hoy la situación ha cambiado mucho. Madrid es una ciudad industrial donde hasta el funcionariado echa humo de tanto trabajar. Lo mismo en el cargo que en el pluriempleo. Las tradiciones, sin embargo, son las tradiciones y todavía se practica cierta picaresca laboral. Es famosa, por ejemplo, la estratagema que consiste en que el funcionario deje una chaqueta colgada en su silla y se marche a la calle a hacer sus cosas vestido con la chaqueta que había dejado en el coche. Así, cuando viene una visita y pregunta a la secretaria si está don Fulano, ella se asoma al despacho y contesta: «No debe de andar lejos porque tiene aquí la chaqueta». Una frase proverbial y que se ha oído decir más de una vez en los ministerios es la del ordenanza que, cuando alguien le pregunta «si hoy viene el jefe», responde: «No es que no venga, es que no está. Cuando no viene es los martes y los jueves».

La calle de la Pasa

Pero hemos de proseguir nuestro paseo por las preciosas calles de Sacramento, del Nuncio, del Conde, del Rollo o por tantas otras callejas y placitas como componen el dédalo del Madrid de los Austrias. De Puerta Cerrada también sale una calle muy renombrada, la de la Pasa, famosa no sólo por las pasas que dicen que repartía un caritativo obispo sino porque en ella está la Vicaría donde solían casarse los madrileños que se preciaban de serlo. El refrán lo dice: «El que no pasa por la calle de la Pasa, no se casa».

Pero si, desde Puerta Cerrada o Puerta de Moros, pasando por cualquiera de las Cavas, la Baja o la Alta, salimos al Humilladero, llegaremos a San Andrés y a la Plaza de la Paja, actualmente llamada del Marqués de Comillas. Aquí estaba el centro del viejo Magerit árabe que fue conquistado por Alfonso VI en el año 1083. En la capilla del Obispo hay que ver el espléndido retablo renacentista de Giralte y la rica tumbra mural plateresca del obispo Vargas, obra del mismo escultor. La calle de Alfonso VI, la deliciosa plaza del Alamillo o la calle de la Morería guardan el encanto del remoto Madrid de la Reconquista. Esta última calle toma su nombre al parecer del hecho histórico de que allí se refugiaron los musulmanes de la villa cuando entró en ella el rey Alfonso. En Las Vistillas, en días de verbena, podrá el visitante marcarse si lo desea un schottis, un baile lleno de prosopopeya, que según los cánones tiene que bailarse sin salirse del espacio de un ladrillo.

Entre la plaza de San Francisco el Grande y la Plaza de España se extiende la calle de Bailén que va a darle al visitante algún trabajo, aunque hay que reconocer que será un trabajo placentero. El Viaducto que salva la calle de Segovia es una obra de este siglo que sustituyó al viejo puente de hierro construido en 1874. Pasando el Viaducto dejaremos a la derecha la Calle Mayor y a la izquierda la Cuesta de la Vega por la que se puede bajar a la calle de Segovia y a las orillas del Manzanares.

Después de pasar la Almudena, una catedral eternamente inacabada y dedicada a la Virgen que fue hallada cuando Alfonso VI tomó la ciudad a los árabes, (por lo que no son pocas en Madrid las mujeres que llevan este nombre), llegaremos al Palacio Real. En un momento, hemos pasado del Madrid de los Austrias al de los Borbones, dos ciudades muy diferentes una de otra. Los antiguos madrileños, más que de Madrid, solían hablar de «los Madriles» porque no es una sola sino varias las ciudades que esta ciudad contiene.

El Palacio Real

El Palacio Real es una obra soberbia de la arquitectura neoclásica, construida en el lugar que ocupaba el antiguo Alcázar de los Austrias después del incendio que lo destruyó, en el reinado de Felipe V. La obra fue encargada al arquitecto italiano Sachetti aunque en ella tuvo una decisiva intervención el gran Ventura Rodríguez. Si, visto desde la Plaza de Oriente, el palacio tiene un gran empaque, más majestuosa es aún la visión que de él se obtiene desde los jardines del Campo del Moro, recientemente abiertos al público.

Construido en piedra berroqueña del Guadarrama y caliza blanca de Colmenar, con muros de cuatro metros de espesor, pasaron veintitrés años desde el comienzo de las obras hasta que Carlos III pudo habitar una parte del palacio. El interior guarda relación con la magnífica prestancia de su fábrica, haciendo de este palacio uno de los mejores

Los tejados de «El Diablo Cojuelo», desde arriba,
Madrid tiene aires de pueblo.

Roofs that the "Limping Devil" might have seen.
Seen from above, this part of Madrid still
has the air of a village.

de Europa. La escalinata de mármol, obra de Sabatini, con pinturas de Giaquinto en la bóveda, recibe al visitante en la entrada de la Plaza de la Armería. Desde allí, la Sala de los Alabarderos, el salón de Columnas, el Cuarto del Rey, con los departamentos que mandó habilitar Carlos III para su residencia, el Salón de Gasparini, la Sala de Porcelanas, con piezas de la fábrica del Buen Retiro, el comedor de gala, la Capilla de Ventura Rodríguez, son algunas de las estancias que pueden visitarse antes de llegar al magnífico Salón del Trono, decorado con frescos de Tiépolo. También pueden verse las habitaciones privadas de don Alfonso XIII y su familia, tal como ellos las dejaron antes de partir para el exilio, en 1931.

El palacio se utiliza hoy para recepciones oficiales pero los Reyes no viven aquí sino en la Zarzuela, un palacete relativamente modesto aunque rodeado de bonitos jardines y del espléndido encinar del monte de El Pardo.

Aparte del Campo del Moro, del que ya hemos hablado, y donde se encuentra también el Museo de Carrozas, el Palacio Real se adorna con los preciosos jardines llamados de Sabatini. La Armería contiene una riquísima colección entre cuyas piezas más importantes están las armaduras de Carlos I y de Felipe II, la del rey Sebastián de Portugal, la tienda que utilizó Francisco I de Francia en Pavía y las espadas de San Fernando, de Fernando el Católico, del Gran Capitán, de Francisco Pizarro...

Desde la galería del patio de la Armería se contempla una magnífica vista sobre la Casa de Campo con la Sierra de Guadarrama al fondo. Este es el paisaje que desde su estudio situado en la galería del antiguo Alcázar contemplaba diariamente Velázquez. Una vista que nunca con mayor razón podemos llamar velazqueña, en la que reconocemos la luz compuesta de tonos verdes y azulados que el gran pintor supo apresar en sus lienzos.

La Plaza de Oriente no fue plaza propiamente dicha hasta el pasado siglo. Fue José Bonaparte, el rey francés a quien el pueblo llamaba Pepe Botella, el que mandó derribar una serie de ruinosos edificios que en ella se levantaban dejando aquel espacio convertido en un solar que fue urbanizado por Isabel II, con jardines y con las estatuas de reyes asturianos y godos. Las esculturas son mediocres. Don Federico Carlos Sainz de Robles las menciona entre algunas de las que le sobran a Madrid. Pero en la Plaza de Oriente, en su centro, hay una de las mejores estatuas ecuestres que existen en el mundo, la de Felipe IV. En ella intervinieron varios genios. El dibujo es de Velázquez, la primera maqueta la hizo Martínez Montañés y la estatua definitiva, Pedro Tacca, autor también de la de Felipe III. Como el caballo reposa solamente sobre sus patas traseras, hubo problemas para lograr que se mantuviera en equilibrio y el problema lo resolvió nada menos que Galileo Galilei, a quien se consultó el caso. Dispuso que la parte delantera de la estatua fuera hueca y la posterior maciza.

Diplomáticos en carroza

Quien pase por la Plaza de Oriente ante el Palacio Real puede sorprender quizá, si tiene suerte de estar allí en un día de presentación de credenciales al Rey, a la carroza que trae al embajador de turno. Este es uno de los rasgos del protocolo madrileño que conocen bien los diplomáticos del mundo. La carroza avanza lentamente con sus cocheros vestidos de gala con uniformes dieciochescos y en el colmo de la pulcritud y aseo, uno de los servidores va detrás de la carroza con escoba y recogedor, para limpiar la calle de algún inoportuno testimonio que los caballos pudieran dejar a su paso.

Frente al Palacio, al otro lado de la Plaza de Oriente se alza el edificio del Teatro Real, más comúnmente llamado de la Opera. El lugar tenía tradición teatral antigua porque allí había estado el Teatro de los Caños del Peral, que fue derribado en 1818 para que Antonio López Aguado construyera el actual edificio. Caños del Peral se llamaba en efecto la actual plaza de Isabel II, la reina a cuya afición musical se debió la terminación de unas obras varias veces interrumpidas. En una Real Orden de 1850, el conde de San Luis, jefe del gobierno, decía que «Decidida su Majestad la Reina a que la capital de la Monarquía no carezca por más tiempo de un coliseo digno de la corte, he tenido a bien mandar que se proceda inmediatamente a terminar las obras del Teatro de Oriente». Madrid, que suele pagar en estatuas los favores recibidos, no podía dejar de erigirle una a la Reina protectora de la Música. La modeló José Piquer y fue inaugurada el mismo día en que se alzó por primera vez el telón del teatro para la representación de «La favorita» de Donizetti.

El convento de la Encarnación, en la plaza del mismo nombre, contigua a la de Oriente, fue fundado por la reina Margarita, esposa de Felipe III y debe su fama, además de a las importantes obras de escultura y pintura que en él se conservan, a un milagro que, según la creencia popular, se opera el 27 de julio de cada año. El milagro, semejante al famoso de San Jenaro, en Nápoles, consiste en que en ese día se licúa la sangre de un martir de la Bitinia, San Pantaleón, que se conserva en un relicario. Numerosos fieles acuden a contemplar el fenómeno que, de no producirse, o bien si la licuefación se prolonga por demasiado tiempo, significa según se cree, el anuncio de alguna calamidad pública.

Delante del convento, una elegante obra de Gómez de Mora reformada en su interior por Ventura Rodríguez, está hoy la estatua de Lope de Vega. Vale la pena de acercarse a la plaza de la Marina Española donde se alza el palacio del Senado cuyo salón de sesiones se encuentra en lo que fue la iglesia de un viejo convento de agustinas. Volviendo a la plaza de Isabel II podemos acercarnos a la plaza de Ramales donde estaba la iglesia de San Juan, que fue derribada en la época napoleónica. En esta iglesia estaba enterrado Velázquez y una cruz y una lápida en el centro de la plaza recuerdan que en algún lugar de su subsuelo está la sepultura del pintor.

Recuerdos literarios

Todo este barrio de Madrid está lleno de recuerdos literarios. En una casa de la calle de Bailén vivió el poeta mexicano Amado Nervo; en un desaparecido café de la plaza de Isabel II tenían su tertulia don Manuel y don Antonio Machado; en la calle de Campomanes está la casa donde murió el músico Tomás Bretón, autor de la más madrileña de las zarzuelas, «La Verbena de la Paloma»; y en la calle de Santa Clara puede verse la lápida que recuerda el suicidio de Mariano José de Larra, el día 13 de febrero, Martes de Carnaval, de 1837.

El Palacio de Santa Cruz, hoy Ministerio de Asuntos Exteriores y en tiempos Audiencia y Cárcel de Corte, alza sus torres en el Madrid de los Austrias.

The towers of the Palacio de Santa Cruz – now the Ministry of External Affairs, but formerly housing the High Court and a gaol – rise over the Madrid of the House of Austria.

Durante nuestro paseo se habrá hecho la hora de comer y si no nos hemos decidido por Botín o por Casa Paco, en Puerta Cerrada, por Schottis, en la Cava Baja, o por Gure Etxea, en la Plaza de la Paja, podemos muy bien aprovechar la oportunidad de hallarnos cerca de la vieja taberna de la Bola o de la moderna aunque espléndidamente ambientada de El Alabardero donde un cura vasco, Luis Lezama, ofrece, además de las excelencias de su cocina, la posibilidad de asistir a alguna de las tertulias políticas que allí se celebran. La alianza entre gastronomía y política es una de las claves de Madrid que debe conocer el visitante. No se concibe hablar de política sin comer y, para muchas personas, tampoco se concibe comer sin hablar de política.

Pero, ahora, dirigiremos nuestros pasos a la Calle Mayor que va de Bailén a la Puerta del Sol, siguiendo el mismo recorrido que la ciudad siguió al extenderse de Oeste a Este. Calle, por tanto, que condensa toda la historia de Madrid y en la que encontraremos desde la casa donde dicen que nació Lope de Vega hasta el lugar en que Mateo Morral atentó contra la vida de los Reyes Alfonso XIII y María Eugenia de Battemberg arrojando desde un balcón una bomba en un ramo de flores, cuando volvían de celebrar su boda en Los Jerónimos. Sin olvidar el lugar donde se dice que murió asesinado el famoso conde de Villamediana el caballero poeta que en un torneo celebrado en la Plaza Mayor había sacado la jactanciosa divisa de «son mis amores reales».

La Plaza de la Villa

En la calle Mayor hay otro restaurante de solera, Casa Ciriaco, donde se habla también de política, aunque esta vez de política municipal. Muy cerca de allí está en efecto la Plaza de la Villa, con el palacio del Ayuntamiento. La plaza, presidida por una estatua de don Alvaro de Bazán, aquel Marqués de Santa Cruz tan alabado por Cervantes, que combatió a sus órdenes en Lepanto, ofrece uno de los conjuntos arquitectónicos más interesantes de la ciudad. El edificio del Ayuntamiento es de Gómez de Mora, de mediados del siglo XVII y fue magníficamente restaurado por Juan de Villanueva en el siglo siguiente. En el interior se conservan algunas importantes obras de arte, entre ellas un cuadro elegórico de Madrid que pintó Goya y cuyo medallón tiene una interesante historia porque si el pintor representó en él originalmente el retrato de José Bonaparte, luego lo cambió por el de Fernando VII, que fue sustituido por la palabra Constitución y finalmente, después de que Vicente López pintara de nuevo el retrato del Rey, un pintor del siglo XIX dibujó en él, las palabras «Dos de Mayo». Una buena muestra de las vicisitudes políticas que trae consigo el cambio de los tiempos.

La plaza, que está cerrada por la Casa de Cisneros, unida hoy al Ayuntamiento, se completa con dos edificios de importancia. En la Casa de los Lujanes, con su masiva torre, parece que estuvo preso durante un tiempo el rey Francisco I de Francia. Hoy alberga a la Academia de Ciencias Morales y Políticas y a una vieja institución del siglo XVIII, la Real Sociedad Matritense de Amigos del País. En la casa contigua está la Hemeroteca Municipal, con extraordinarias colecciones. Cerca de la plaza estaba en tiempos pasados la iglesia de San Salvador a cuya torre llevó el Diablo Cojuelo en volandas al estudiante don Cleofás en la inmortal ficción de Vélez de Guevara.

Ya estamos en Sol

Pero ya llegamos a la Puerta del Sol, más comúnmente llamada simplemente Sol por los madrileños, siendo ésta también la palabra que figura en los carteles del Metro, cuya estación de Sol es lugar de cambio obligado en muchas líneas. Ya no puede decirse, en rigor, que la Puerta del Sol sea el centro de Madrid. Cibeles, Callao, la plaza de España o la Plaza de Colón compiten hoy con Sol por ese título. Pero sí es cierto que sigue siendo el centro del Madrid popular. Aquí, la ascética elegancia del barrio de los Austrias o la distinción francesa e italiana del Madrid de los Borbones se convierte en el meridional abigarramiento de una ciudad que además de ser ella misma es también lo que se llama «el rompeolas de las Españas».

Es en efecto una plaza representativa no sólo de Madrid sino de todo el país. Ud. verá en efecto en Sol a mucha gente con el aire del recién llegado y perplejo forastero. El soldado que se cita con la novia a la entrada del Metro frente a la confitería La Mallorquina, el provinciano que hace cola ante la lotería de La Hermana de doña Manolita (la otra «hermana», doña Manolita, está en la Granvía), el campesino que se queda mirando la famosa bola del reloj de Gobernación, son algunos de los personajes de esta Puerta del Sol en la que el principio del centralismo está escrito en el suelo de la acera, en la inscripción que dice «Km 0» de los caminos radiales de España.

La Puerta que en algún momento debió existir en esta plaza pasó a la historia. Parece que estaba entre la calle de Alcalá y la Carrera de San Jerónimo y que, tal vez porque miraba a oriente, tal vez por capricho del artista, tenía un sol grabado en la piedra. Y Manuel del Palacio pudo decir que mientras en Madrid hay muchas puertas que se cierran, las del trabajo al hombre laborioso o las de la Academia al sabio, hay una puerta que no se cierra nunca, la Puerta del Sol.

La plaza es así un símbolo de la mayor virtud de Madrid, la de ser una ciudad abierta que, como dijo uno de sus más ilustres hijos, Ramón Gómez de la Serna, es «una ciudad sin metecos». Los metecos eran en Grecia los extranjeros o forasteros a quienes se despreciaba por serlo. Madrid no los ha tenido nunca, nunca nadie ha podido sentirse forastero en Madrid, ni ahora que la población de la ciudad está formada en su mayor parte por gentes venidas de fuera, hasta el punto de que en algunos ambientes y en muchos barrios es una rareza encontrar madrileños de origen, ni tampoco en los tiempos en que podía decirse que Madrid estaba habitada por madrileños.

La Puerta del Sol tiene muchas cosas que contar que pertenecen no solo a la historia de Madrid sino también a la de todos los españoles. La Carga de los Mamelucos, soberbiamente pintada por Goya, tuvo esta plaza como escenario. Aquí fue también donde el Cura Merino detuvo al coche de Fernando VII y, tendiéndole la Constitución, le dijo la famosa frase «¡Trágala Tirano!» Aquí se oyeron gritos de libertad que celebraban la llegada de Riego y gritos de «Vivan las caenas» saludando al absolutismo.

La plaza Mayor fue en tiempos el corazón de la ciudad y parece aspirar hoy a ser de nuevo lugar de encuentro de los ciudadanos.

The Plaza Mayor was at one time the heart of Madrid, and today it seems to be trying to regain its role as a meeting-place for the citizens.

El Mentidero

En la esquina de Sol con Mayor hubo en tiempos una iglesia, San Felipe el Real, en cuyas escaleras estuvo situado el famoso Mentidero de Madrid cuya fama era tan grande que se decía que allí llegaban antes las noticias que los sucesos que las producían. La iglesia desapareció en una de las muchas reestructuraciones que se hicieron en la plaza. El Mentidero sigue, aunque no allí, sino repartido por todo Madrid.

De todas las noches del año, hay una que es particularmente famosa en la puerta del Sol. En la Nochevieja, la plaza está abarrotada de una multitud ruidosa que espera que toquen las doce en el reloj de Gobernación para comer las uvas tradicionales. La gente sigue admirándose con el mecanismo que hace que, al dar las campanadas de la medianoche, descienda la bola que está sobre el reloj. Tanto éste como el mecanismo son obra de un curioso personaje decimonónico, Ramón Losada, un pastor analfabeto de la región de Astorga que conspiró en Madrid contra el absolutismo y, exiliado a Londres, se hizo relojero, amigo de poetas y fundador de una «Tertulia de habla española» a la que acudían políticos e intelectuales desterrados por Fernando VII.

Las calles adyacentes a la Puerta del Sol merecen un detenido paseo. Convertido modernamente este barrio en una zona de grandes almacenes, que va de Callao a Sol a través de la calle de Preciados, peatonal en este tramo, conserva algunos establecimientos de solera. La antiquísima taberna y restaurante «Casa Labra», por ejemplo, en una de cuyas salas un grupo de trabajadores madrileños presididos por Pablo Iglesias fundaron por cierto en 1879 el Partido Socialista Obrero Español, da buena prueba de ello. Sin olvidar las freidurías de la calle de Tetuán donde la gente acude a comer una de las cosas más madrileñas que existe, el bocadillo de calamares.

«Casa Labra» está especializada en «pinchos» y buñuelos de bacalao, y aquí sí que viene a cuento hablar de ese importantísimo capítulo de la vida madrileña que es la costumbre del aperitivo. Madrid es una ciudad en la que no hace falta sentarse en un restaurante para comer bien. Los «aperitivos» son aquí tan abundantes y variados que, más que hacerle entrar a uno apetito de comer, se lo quita. Lo cual no significa que la gente que acude al restaurante se prive de pasar primero por la taberna o el bar para «hacer boca» antes de sentarse a la mesa.

¿Dónde para usted?

En una ciudad tan callejera como Madrid, a la que acude además todos los días una numerorísima «población flotante», los establecimientos de bebidas y comidas tienen una importancia social de primer orden como lugar de encuentro de los ciudadanos. Hay gente que tiene establecida en un bar, en una taberna o en una cafetería de la que es parroquiano asiduo poco menos que su residencia, donde recibe la correspondencia, los recados o las llamadas telefónicas. Es lo que se conoce con el nombre de «parar». «Yo paro» en tal o cual bar, le dirá un ciudadano cuando usted le pregunte dónde puede encontrarle.

La costumbre del «chateo» no es exclusiva de Madrid. En el País Vasco, por ejemplo, donde la costumbre está muy arraigada, se llama «chiquiteo» o «poteo», pues allí el «chato» de vino recibe el nombre de «chiquito» o «pote». Tampoco es específico de Madrid, sino más bien de origen andaluz, la costumbre del «tapeo», que es tomar «tapas» o porciones pequeñas, (y no tan pequeñas), de comida con el vino o la cerveza. Pero en Madrid, las tapas son de una variedad infinita, presentándose en forma de «pinchos», «montaos», «banderillas», «raciones» y adquiriendo nombres curiosísimos en algunos establecimientos, como en el caso de un pincho de morcilla que se llama, en una tasca de la calle de la Ballesta, «conferencia con Burgos» mientras el pincho de chorizo recibe el nombre de «conferencia con Soria».

El bocadillo, llamado «bocata» por los jóvenes, no puede considerarse en modo alguno como un aperitivo sino más bien como el sucedáneo de la comida o la cena. Los hay de todas clases, desde el de jamón, que suele presentarse con toda la loncha asomando al exterior como si fuera una lengua que pregonara la abundancia de su contenido (aunque dentro no suele haber nada) hasta el extrañísimo bocadillo de patatas fritas, pasando por el ya mencionado de calamares que no es sino el más popular del extensísimo repertorio. El bocadillo más distinguido que hay es el «pepito», hecho con carne a la plancha. En las cafeterías, lo característico no es el bocadillo sino el *sandwich*, que se sirve caliente.

Aunque el chateo va cediendo hoy paso a la costumbre de tomar otras bebidas como la ginebra o el wishky, en lo que se llama «tomar copas», conserva sin embargo una considerable reigambre. Los muy castizos conocen a veces por «vía crucis» la peregrinación que un grupo de amigos realiza de bar en bar o de taberna en taberna. Una mención especial merecen los camareros de esta industria que, según siempre se dice, es la única que en Madrid no puede fracasar. Al grito de «¡Marchando una de champi y dos de callos!», pongamos por caso, los camareros madrileños asombran a los forasteros por la rapidez del servicio.

He dejado fuera de esta relación voluntariamente el importantísimo capítulo del marisco, para cuando haga la «revelación» de que Madrid es la primera ciudad marítima de España, a pesar de que el mar le queda, como poco, a cuatrocientos kilómetros. Ahora sugeriré que descendamos por la calle del Arenal para ver algunas cosas interesantes. No dejaremos de visitar la iglesia de San Ginés, ligada a la vida de Quevedo y de Lope de Vega, en cuya Capilla del Santísimo Cristo hay importantes obras de pintura española. Junto a la iglesia y con estanterías en plena calle, hay una deliciosa librería de ocasión. Detrás de la iglesia, la chocolatería del callejón de Eslava es lugar de desayuno para muchos trasnochadores.

El Niño del Remedio

En una de las travesías de Arenal hay una capilla llena de exvotos, la del Niño del Remedio, frente a la cual está la antigua cerería del mismo nombre. En la Plaza de San Martín, que forma un conjunto con la contigua de las Descalzas, está el edificio de la Caja de Ahorros que se unió al Monte de Piedad para formar una de las más importantes instituciones económicas y asistenciales madrileñas. El Monte de Piedad, institución de ahorro y casa de empeños fue fundado en el siglo XVIII por el Padre Piquer, quien reunió en su casa a varias personas y depositó con solemnidad fundacional un real de plata en una hucha que aún se conserva.

Arco de Cuchilleros.
The Arco de Cuchilleros.

El convento de las Descalzas Reales, obra de Juan Bautista de Toledo, primer arquitecto de El Escorial, fue durante tiempo retiro de princesas y damas de la Corte. En una de las capillas está la tumba de doña Juana, hija de Carlos I, esculpida por Pompeo Leoni. Hay pinturas de El Greco, Alonso Cano y otros pintores y es famosa la sala del Relicario, con numerosas reliquias de santos y regalos de reyes y papas.

La Puerta del Sol y la calle de Sevilla están unidas por dos calles casi paralelas en este tramo que son dos de las más renombradas de Madrid. Decir la calle de Alcalá o, mejor, la cal'Calá en madrileño, es como decir Madrid mismo. En esta calle que se extiende desde Sol hasta la Cruz de los Caídos, donde se convierte en la Carretera de Aragón, camino de Alcalá de Henares que le da nombre, hay tantas cosas por ver y comentar que su sola mención convertiría nuestro relato en una tediosa lista de nombres. En este primer tramo, hasta Sevilla, mencionaremos tan sólo la antigua Casa Real de la Aduana, hoy Ministerio de Hacienda, una magnífica obra del arquitecto italiano Francisco Sabatini, arquitecto de Carlos III que había trabajado para el Rey de Nápoles y que tan ligado está a la historia de Madrid. Y, casi a la altura de Sevilla, el Casino de Madrid, un bello palacio decorado en su interior con gran originalidad.

En la Carrera de San Jerónimo está el restaurante sin duda más famoso y antiguo de Madrid, Lhardy, fundado por el restaurador suizo de este apellido en 1838 y que conserva en gran parte la misma decoración de los salones en que comieron los más importantes personajes del siglo XIX, fueran estos el general Espartero o el novelista Pérez Galdós. Su mejor comedor es el Salón Japonés y su especialidad más conocida, el cocido madrileño que hasta hoy convoca aquí comidas políticas y literarias. Pero Lhardy no es solo restaurante sino charcutería y pastelería de fama. Obligado es, en un paseo por Madrid, detenerse en Lhardy para tomar una tacita del consomé que mana de recipiente de plata.

Cocidito madrileño

El cocido, pariente de otras ollas y pucheros de las regiones españolas, no suele estar en la carta de los restaurantes de Madrid si bien en algunos de ellos se prepara de encargo y en muchos otros se sirve un día a la semana, siempre el mismo, para que acuda la parroquia sin ver frustrado su deseo de tomarlo. Se trata de un plato tan abundante, tan rico y de digestión tan pesada que los madrileños tienen la costumbre de designarlo en diminutivo, «cocidito», a fin de disimular un poco la pantagruélica ingestión. Hay acuerdo general en afirmar que, si uno come cocido al mediodía, no puede trabajar por la tarde. Pero, curiosamente, eso se dice siempre que uno está comiendo un cocido en día laborable.

No son muchos los platos específicamente madrileños de la cocina de Madrid. La otra gran especialidad «a la madrileña» son los callos, otro plato fuerte que demuestra los milagros que puede obrar un buen cocinero con tan vulgar materia prima. El pescado ofrece ilustres especialidades que, sin llamarse a la madrileña lo son realmente. El besugo es el plato típico de la Navidad. El lenguado ofrece variantes tan peculiares y sabro-

sas como la del «lenguado con piel» que se sirve en la tasca de Maxi, en la Puerta de Toledo. El bonito, que se prepara con tomate o encebollado, es tan madrileño que parece que lo pesquen en el estanque del Retiro.

No vamos a cantar aquí la carta de todo lo que se puede comer en esta ciudad abierta en la que hoy pueden probarse todas las especialidades de la cocina española y mundial. Una de las cosas más madrileñas que hay es ese «plato combinado» que puede llevar cosas tan madrileñas y españolas como la tortilla a la francesa, el jamón York, la salchicha de Frankfurt o la ensaladilla rusa. Capítulo aparte es la tortilla a la española, que es tortilla de patatas, a veces con cebolla, que se llama simplemente tortilla ya que cuando es a la francesa necesita declarar su origen. En Madrid, como en casi toda España, se puede poner cualquier cosa dentro de una tortilla.

En Madrid pueden encontrarse hoy prácticamente todas las variedades de la cocina internacional y de las regiones españolas, incluyendo las más sofisticadas especialidades de la nouvelle cuisine. Tantos restaurantes hay en esta ciudad donde la hostelería es probablemente la primera industria, que es difícil dar una relación que no tenga algo de arbitrario. Una lista muy restrictiva debería mencionar entre los restaurantes, aparte de los que cito en otros lugares de este relato, «Horcher», «Jockey», «El Bodegón», «La Gran Tasca», «Valentín», «El Horno de Santa Teresa» y «Amparo», y entre las tascas, «Salvador», «Carmencita», «La Fuencisla», «Casa Mingo», «Casa Ricardo», «La Puebla», «La Zamorana» y «La Suprema». Y por lo que se refiere a las tabernas donde tomar el aperitivo, «Los Pepinillos», «Sierra» y otras varias que conservan la decoración tradicional, con azulejos y mostrador de cinc.

La capa

Pero estábamos en la calle de Sevilla, Wall Street madrileña salvadas las distancias, donde no faltan algunos edificios notables por su arquitectura que son sede de los grandes bancos del país. Por la calle del Príncipe, desde la plaza de Canalejas, llegaremos a la plaza de Santa Ana donde está uno de los teatros de mayor raigambre de Madrid, heredero de algún viejo corral de comedias que hubo en este lugar. En medio de la plaza hay una estatua de Calderón de la Barca con una lápida que, en curioso juego de palabras, dice: «La vida es sueño pero no tu gloria». En uno de los lados de la plaza, la antigua «Cervecería Alemana» mantiene su vieja parroquia taurina al mismo tiempo que una clientela de gente joven que agradece la conservación de las cosas auténticas.

Tomando la calle Núñez de Arce para salir a la calle de la Cruz nos encontraremos con el ambiente más propiamente taurino de Madrid. Barrio de tascas con carteles de toros, en su calle de la Victoria puede verse a la gente del toro, banderilleros, picadores, maletillas en busca de oportunidades, mezclados con la gente que, sobre todo en ocasión de las ferias de San Isidro, acuden a las taquillas que allí se encuentran en busca de entradas. En la calle de la Cruz, la vieja sastrería de Seseña es la única dedicada a la confección de capas madrileñas.

Otro barrio de tascas y de restaurantes es el que se extiende entre la calle del Prado y la Carrera de San Jerónimo, por debajo de la calle del Príncipe. Vale la pena de ver la portada de azulejos de «Viva Madrid» y su interior decorado con carteles de toros. Las calles de Echegaray y Ventura de la Vega ofrecen otra de las zonas para ese «tasqueo» que constituye uno de los deportes favoritos de las gentes de la ciudad y de sus oca-

En la Cava Baja trabajan todavía guarnicioneros y artesanos de la Madera junto a viejas posadas y mesones.

In the Calle de la Cava Baja you can still find harness makers and carpenters working next door to old inns and taverns.

sionales visitantes. Bajando luego por la calle del Prado, donde hay numerosos anticuarios, llegaremos al Ateneo, una de las instituciones que históricamente han influido más hondamente en la vida política y cultural de Madrid y de todo el país. Su tradición liberal y progresista es perceptible aun en las tertulias de su «Cacharrería», en las que en otro tiempo tomaron parte los grandes escritores de la generación del 98.

Tarea imposible es explicar las muchas cosas que ofrecería una visita al Congreso de los Diputados, si fuese visitable. El edificio es del siglo XIX, obra de Narciso Pascual y Colomer. La entrada principal, flanqueada por los dos leones de bronce, no se abre más que para dar entrada al Jefe del Estado. El salón de sesiones está espléndidamente decorado con frescos de tema histórico en los que por decisión de la Cámara, se dejarán los impactos de bala como inolvidable testimonio del 23 de febrero. El Salón de los Pasos Perdidos, más tradicionalmente llamado Salón de Conferencias, es el lugar donde hoy pasean los diputados en los descansos de las sesiones. La galería de retratos de los presidentes del Congreso, en el primer piso del edificio contiene obras de importantes pintores tales como Madrazo o Sorolla. Para entrar en el Congreso en días de Pleno se necesita invitación y en los demás días hace falta una autorización especial de la presidencia.

Si desde Plaza de las Cortes, donde está la estatua de Cervantes, tomamos la calle de Medinaceli, llegaremos a un barrio que se llamó de Cantarranas en épocas clásicas. En los primeros viernes de mes se forma, delante de la iglesia de Jesús de Medinaceli una cola de devotos. Si mi acompañante lo es, no se prive de hacer la visita, pues dicen que tiene milagrosos efectos. En el barrio hay dos calles que tienen una curiosa particularidad: en la calle de Cervantes está la casa donde vivió Lope de Vega. Y en la calle de Lope de Vega, en su antiguo convento de las Trinitarias, dicen que está enterrado Cervantes.

Pasando ahora frente al Hotel Palace, uno de los primeros que se construyeron en Madrid y atravesando la Plaza de Cánovas del Castillo, dejaremos por el momento el Paseo del Prado con su Museo y su precioso «salón», que hacía las delicias de don Teófilo Gautier y de otros viajeros, para acercarnos a la iglesia de San Jerónimo el Real, originalmente fundado por la reina Isabel la Católica y reconstruido en el siglo pasado por el mismo arquitecto que hizo el Congreso de los Diputados. Los Jerónimos, como se llama más comúnmente, es el templo ligado a los acontecimientos familiares de la Casa Real española.

«Limpia, fija y da esplendor»

El barrio en que está situado es uno de los más elegantes de Madrid, como lo atestigua un paseo por las calles de Felipe IV, Academia (donde está el edificio de la Real Academia de la Lengua, encargada de la misión que campea en su divisa: «Limpia, fija y da esplendor» al idioma), Casado del Alisal, Moreto o Ruiz de Alarcón, donde por

cierto tenía su casa ese gran intérprete de Madrid que se llamó Pío Baroja. En el Museo del Ejército hay recuerdos y trofeos militares de todas las épocas, desde la espada de Boabdil, último rey de Granada, hasta diversos testimonios de la guerra civil española. En el Casón del Buen Retiro, antiguo Museo de Reproducciones, se hacen importantes exposiciones de pintura y está destinado para albergar el Guernica de Picasso.

Pero ya llegamos al Retiro, el Buen Retiro para decirlo más propiamente, que parece haber sido un Real Sitio desde el siglo XV. Estos fueron los jardines de un palacio que, ocupado por los primeros Austrias, fue abandonado en favor del Alcázar que precedió al Palacio de Oriente. En el último cuarto del pasado siglo los jardines fueron cedidos al pueblo de Madrid y abiertos al público. Parece que el estanque existía en época de Felipe II quien, en alguna ocasión, había mandado organizar allí las «batallas navales» conocidas por naumaquias, un precedente de la madrileñísima costumbre de ir «a remar al Retiro». Junto al estanque está el magnífico Monumento a Alfonso XII, obra de Grases, adornado con esculturas de los mejores artistas de principios de este siglo. La pasión madrileña por las estatuas tiene en el Retiro su máxima expresión y hay que decir que, entre las muchas que hay, no faltan las obras de arte, debidas al cincel de Vitorio Macho, Benlliure, Collaut Valera, Miguel Blay o Ricardo Bellver. La más curiosa de todas las estatuas del Retiro, y de toda la ciudad, es la que éste último escultor dedicó al Angel Caído. Madrid es la única ciudad del mundo que ha dedicado una estatua al demonio.

A veces se dice que Madrid tiene pocas zonas verdes y aunque es cierto que han desaparecido algunas y que deberían hacerse otras, sobre todo en sus barrios, también lo es que no se encuentra entre las ciudades más desasistidas en este sentido. Basta mencionar, además del Retiro, el Jardín Botánico, maravillosa obra del siglo XVIII, el Parque del Oeste, los jardines del Palacio Real, las zonas ajardinadas de la calle de Segovia, los jardines de la Fuente del Berro y el precioso «Capricho» de la Alameda de Osuna, sin contar, claro está, la Casa de Campo, para darse cuenta de que Madrid, sin llegar a ser Londres en este aspecto, no tiene mucho que envidiar a otras ciudades.

El Palacio de Cristal, obra de Ricardo Velázquez lo mismo que el contiguo palacio que lleva su nombre, es uno de los más bellos y originales edificios de Madrid. Fue construido a fines del siglo pasado para albergar las plantas exóticas que se trajeron de Filipinas. Hoy se celebran allí importantes exposiciones. Su situación, al borde de un pequeño lago con cisnes, embellece aun su elegante estampa.

Paseando por el Retiro encontraremos rincones de frondoso bosque mezclado —se calcula que hay más de sesenta mil árboles en el parque— y deliciosos jardines como los que ocupan el espacio que, desde los tiempos de Fernando VII, ocupó la «Casa de Fieras» antes del traslado de los animales al Zoo de la Casa de Campo. O parterres tan bonitos como La Rosaleda. Cerca de la salida de Claudio Moyano es digno de visitarse el Observatorio Astronómico, obra de Juan de Villanueva en el ilustrado reinado de Carlos III, el monarca tan justamente llamado «el mejor alcalde de Madrid».

El parque del Retiro está íntimamente ligado a la vida madrileña. Mamás con niños, solitarios opositores que descansan entre tema y tema, familias que toman vermú con patatas fritas en los kioskos o que escuchan los conciertos de la Banda Municipal, jubilados sentados al sol, estudiantes empollones, jugadores de ajedrez y, sobre todo, novios, muchos novios. Se puede decir que todo amorío madrileño ha de hacer al menos una escala en el Retiro.

La Puerta de Alcalá

Por el paseo de estatuas, más estatuas, esta vez de reyes, saldremos a la plaza de la Independencia, presidida por un monumento de gran empaque, la Puerta de Alcalá, obra de Sabatini, también en el reinado de Carlos III. Fijándose atentamente en el lado del monumento que mira al Retiro, pueden verse en la piedra rastros de impactos de bala. Son recuerdos de la Guerra de la Independencia.

Sea de día o de noche, la perspectiva que se contempla desde la Puerta de Alcalá es magnífica y constituye, con la Cibeles, el Banco de España y, al fondo, la confluencia de Alcalá y Granvía, la más característica imagen o «postal» de Madrid. En la acera derecha de Alcalá, antes de llegar a la plaza, hay una antigua cervecería, la de Correos y uno de los cafés antiguos que quedan en Madrid, el Lyon. En materia de cafés, la «ecología» de Madrid ha perdido mucho, cosa tanto más sensible cuanto que la ciudad tenía de ellos un extraordinario repertorio. No hablemos ya del viejo Pombo, donde tenía tertulia Ramón Gómez de la Serna. En época reciente hemos visto desaparecer el Levante y el Universal, que fue café cantante en los últimos tiempos, el café Varela, convertido en cafetería y el Viena, estropeado en la última reforma. Una muestra de lo que fue la vida de café de Madrid puede verse aun en el Café Ruiz, en el ya mencionado Lyon, donde se celebran tradicionales tertulias (o no tan tradicionales porque hay una en que no se habla de otra cosa que de temas extraterrestres); el Gijón, en Recoletos, que es hoy el café literario de Madrid y que tiene probablemente en verano la mejor terraza de la ciudad; y el Comercial, en la Glorieta de Bilbao, donde su parroquia tradicional se mezcla con los jóvenes «modernos» de la nueva bohemia.

Divertirse en Madrid es cosa que no requiere gran ciencia. La noche madrileña ofrece una gran variedad de espectáculos y de locales donde ir. Por lo general se atribuye a la «población flotante» el éxito que tiene en Madrid el teatro. Suele haber representaciones de teatro clásico español, obras de teatro moderno y también de ese espectáculo tan característico de Madrid que se llama revista. Un buen conocedor de Madrid no debería dejar de conocer entre otras, las de La Latina, con su teatro arrevistado de gruesa picaresca.

Las más antiguas «salas de fiestas» están en la Gran Vía, en Alcalá o en otras calles del centro, con locales tan «venerables» como J'Hay. En Malasaña, un barrio con heroicos recuerdos de la Guerra de la Independencia, (Manolita Malasaña, que le da nombre, fue una de sus heroínas), ha sido redescubierto recientemente y se han ido creando allí una serie de bonitos y sofisticados locales. La zona de la calle de Segovia tiene también algunos locales interesantes. El jazz se cultiva en varios establecimientos de la parte nueva de la ciudad. El flamenco tiene en Madrid una buena tradición y aunque algunos de los «tablaos» se han hecho excesivamente turísticos, sigue siendo Madrid la ciudad española donde puede escucharse a los cantaores de más fama.

Debiéramos ahora dedicar nuestra atención al Paseo del Prado y a la continuación que esta gran avenida tiene por Recoletos y la Castellana. El Paseo comienza en la plaza de Atocha, nombre relacionado con el esparto que debió crecer en tiempos en estos lugares donde desde antiguo estaba situado el santuario de Nuestra Señora de Atocha sobre el que se construyó a fines del pasado siglo la Basílica que, hasta hoy inacabada, se encuentra al comienzo de la Avenida Ciudad de Barcelona.

En la plaza de Atocha, hoy llamada del Emperador Carlos V, título alemán, por cierto, como señala Juan Antonio Cabezas, del rey Carlos I de España que no tiene en Madrid calle niguna ni plaza, hay algunos interesantes edificios. Por el Real Colegio de Medicina pasaron catedráticos tan famosos como don Santiago Ramón y Cajal, el doctor Marañón o Carlos Jiménez Díaz. La estación es una interesante obra de Manuel de Palacio de la que Ramón Guerra de la Vega, en su reciente colección de guías arquitectónicas de Madrid, dice que es «un arco que cubre todo el espacio y llega hasta el suelo consiguiendo casi ocho mil metros cuadrados sin apoyo». El Ministerio de Fomento, actualmente de Agricultura, es obra de Ricardo Velázquez, autor también del Palacio de Cristal del Retiro.

La imprenta del Quijote

Los aficionados a las librerías de ocasión, también llamadas aquí «de viejo» o «de lance», tienen en la Cuesta de Claudio Moyano, que sube hacia el Retiro desde la plaza, una permanente exposición que los domingos por la mañana se llena de gente. Los bibliómanos, tanto como los buscadores de ambientes ciudadanos, harán bien en darse una vuelta por aquí. Pero, en materia bibliográfica hay, muy cerca de este lugar, una cosa de excepcional interés. Subiendo por la calle de Atocha puede verse, en la fachada del número 85, una placa que recuerda que allí estuvo la imprenta de Juan de la Cuesta, donde se imprimió la primera edición del Quijote.

A lo largo de la verja del Jardín Botánico, diseñada por Juan de Villanueva, llegaremos al Museo del Prado. El Jardín Botánico, que ha estado cerrado durante mucho tiempo, podrá visitarse de nuevo en breve, a fin de admirar la espléndida colección de plantas de todo el mundo que allí mandó reunir Carlos III. Al Museo del Prado siempre le llamó el pueblo de Madrid Museo de Pinturas, aunque ahora el nombre ha caído en el olvido. Así lo recuerda Eugenio d'Ors, el autor de la que probablemente sigue siendo la mejor guía del Museo. Y, como colección de pintura, el Prado no tiene rival en el mundo porque une, a sus colecciones de pintores españoles —Ribera, Murillo, El Greco, pero sobre todo, Velázquez y Goya— una extraordinaria representación de la pintura flamenca, alemana e italiana.

Eugenio d'Ors decía que, si el Prado ardiera y sólo pudiera llevarse un cuadro, elegiría sin vacilar el Mantegna que lleva el nombre de «El Tránsito de la Virgen». Hemingway prefería al parecer el retrato de Lucrecia del Baccio del Fede, de Andrea del Sarto y, según se dice, llegó a citar a alguno de sus «ligues» madrileños para que estuviera a una hora convenida delante del lienzo. El visitante puede hacer la prueba de designar un cuadro como su preferido pero hacerlo le costará trabajo. El Jardín de las Delicias, del Bosco; el Descendimiento, de Van der Weyden; el Bodegón, de Zurbarán; Las Hilanderas o Las Meninas, de Velázquez; Los Fusilamientos, de Goya o esa serie de las «Pinturas Negras» que Goya pintó para su Quinta del Sordo no son más que unos cuantos nombres que surgen al azar en una lista que olvida a Durero, al Patinir, al Tintoretto, al Corregio, al Tiziano, a Rubens, a Rembrandt.

Pero, puesto que hablamos de Madrid, dos pintores de El Prado merecen especial

El viejo Madrid está lleno de deliciosos rincones. En esta página y en la anterior, la Plaza de la Paja.

Old Madrid is full of delightful corners. On this page and the preceding one, the Plaza de la Paja.

Capilla del Obispo.

The Bishop's Chapel.

El Viaducto salva el desnivel de la calle de Segovia que desciende hacia el Manzanares.

The Viaduct leaps over the Calle de Segovia where the latter slopes down towards the Manzanares.

mención: Velázquez y Goya. Ninguno de los dos era madrileño, cosa que le pasa a mucha gente en Madrid, pero si Madrid no hubiese hecho otra cosa en su vida que acoger a estos dos pintores, habría hecho bastante. Lo velazqueño y lo goyesco resumen muy bien los dos aspectos de la personalidad de Madrid, al mismo tiempo cortesana y popular. Frente a cada una de las puertas del edificio de Juan de Villanueva, las estatuas de Goya y de Velázquez recuerdan, no sólo a los dos mayores pintores españoles sino también a los dos artistas que mejor supieron comprender a la ciudad en que realizaron su obra.

«Recuerdos a la Cibeles»

Tampoco era de Madrid, aunque sí del vecino pueblo de Ciempozuelos el arquitecto a quien Carlos III confió el diseño de las tres fuentes que embellecen el Salón del Prado, Ventura Rodríguez. Representan al Mar, al Sol y a la Tierra y de las tres, la última es tan conocida que a menudo hace olvidar a las otras dos. «Recuerdos a la Cibeles», se le dice proverbialmente a cualquiera que vaya a Madrid. Pocas otras esculturas del mundo habrán sido tan saludadas como esta diosa sentada en su carro tirado por leones que sobre el dibujo de Ventura Rodríguez esculpieron Francisco Gutiérrez y Roberto Michael.

La fuente de Apolo, obra de Giraldo de Bergaz, aunque es de una exquisita elegancia, nunca ha tenido la popularidad de su vecina que es para los madrileños, según Ramón Gómez de la Serna, «La Lola, como quien dice». Neptuno, en la plaza de Cánovas del Castillo, tiene tal personalidad que le ha quitado el nombre de la plaza al ilustre político de la Restauración. En la fuente de Neptuno ha buceado Camilo José Cela en alguna noche de parranda.

El dios del Mar, sin llegar a ser para los madrileños tan de la familia como lo es la Cibeles, tiene en Madrid muy buen cartel. Y es que Madrid ha tenido siempre una clara vocación marítima. Ha habido incluso algún chiflado que pretendía traer a Madrid el agua del mar por un canal desde Valencia, salvando el formidable desnivel de la Meseta. Madrid es un lugar donde existe una Carretera de la Playa que llevará al que se lo crea a La Playa de Madrid. Uno de los bares más famosos que hubo en tiempos fue el llamado La Posada del Mar, en la Granvía, decorada con redes y faroles de barco. En Madrid no es difícil ver por la calle almirantes y marineros. Y la importancia social y gastronómica del marisco es tal que es difícil negar lo que a veces se dice de que Madrid es el primer puerto de mar de España. La visión de esos establecimientos que reciben el nombre de «Cocedero de marisco» en las mesetarias llanuras de las inmediaciones de la ciudad no hace más que confirmar la sospecha de que el verdadero sueño de Madrid es el mar.

Junto a la fuente de Neptuno, obra del escultor Juan Pascual de Mena, está la plaza de la Lealtad, con el monumento a los héroes del Dos de Mayo. El salón del Prado, donde se reunían los elegantes en la época romántica, como lo atestiguan los relatos de los viajeros, estaba situado entre Neptuno y Cibeles. El palacio de los marqueses de Linares

el Ministerio de Defensa y el sobrio edificio del Banco de España, construido a fines del pasado siglo forman tres de las esquinas de la plaza de la Cibeles. La cuarta está formada por el llamado de «Nuestra Señora de Comunicaciones», que es el nombre que realmente le convendría al masivo, recargado y un tanto pastelero edificio de Correos.

En el Paseo de Recoletos se ha instalado una fuente muy madrileña, la Mariblanca, que estuvo desde antiguo en la Puerta del Sol. La Biblioteca Nacional, obra de Jareño, que alberga a su espalda el Museo Arqueológico, es al decir de los arquitectos la empresa arquitectónica más importante del siglo XIX. Posee importantísimas colecciones bibliográficas. La plaza de Colón, que se abre en el lugar donde antes estaba el bello edificio de la Casa de la Moneda no ha recibido una solución urbanística satisfactoria. Allí se mezclan las Torres de Colón, edificio notable en su concepción, los retóricos monumentos dedicados al Descubrimiento y la estatua de Colón que, colocada sobre la explanada que sirve de techo al Centro Cultural de la Villa, tiene un cierto aire de pisapapeles.

Desde Colón queda, a un lado, el barrio de Salamanca, obra del marqués de este nombre, gran reformador de Madrid, y al otro, los antiguos y desbulevarizados Bulevares que conducen a Chamberí, barrio castizo, y a Argüelles, Moncloa y Ciudad Universitaria. Más arriba de Colón, el elegante Paseo de la Castellana ha ido transformándose en los últimos años desde ser un paseo con palacetes a una especie de nuevo Manhattan que, si en los comienzos hacía ver a los rascacielos como intrusos, hoy llega a formar un notable conjunto de moderna arquitectura. Bajo el puente de Juan Bravo, se ha construido un interesante museo de escultura moderna.

«El Taco»

Madrid ha crecido hacia el Norte en una expansión urbana que ha dado como resultado una ciudad que tiene ya poco que ver con el Madrid tradicional de que venimos hablando. Desde los Nuevos Ministerios hasta la Plaza de Castilla y hasta la salida a la carretera de Burgos han surgido, a ambos lados de la Castellana —hasta no hace mucho llamada Generalísimo— los novísimos barrios de una moderna ciudad, con edificios como los de Azca o los de la plaza del Cuzco o la ultramoderna estación de Chamartín. Y con barrios que, como el de la Costa Flemming, han pasado a formar parte de la «crónica secreta» de la ciudad.

No muy lejos de estos barrios, sin embargo, aún quedan cosas del Madrid tradicional, como la popular calle de Bravo Murillo y el barrio de Tetuán, donde Madrid vuelve a recuperar su carácter de pueblo que parece haber sido el orgullo de sus habitantes. O, en contraste con los rascacielos, la elegante colonia de El Viso, donde todas las calles llevan nombres de ríos.

De rascacielos a rascacielos, nos trasladaremos ahora a los de la Plaza de España, para ultimar el paseo que es objeto de esta crónica. La Plaza de España no es precisamente un logro de la arquitectura y el urbanismo. Su edificio España, al que luego venció en altura la Torre de Madrid, fue el primero de los rascacielos que se construyeron en la capital. Fue llamado popularmente «el Taco», porque decían que la gente no podía evitar soltar una palabrota cuando lo veía. El monumento a Cervantes, con las estatuas de Don Quijote y Sancho no tiene nada de glorioso. La Granvía, en cambio,

La catedral de la Almudena, eternamente inacabada, está dedicada a la Virgen que halló Alfonso VI en el Magerit árabe.

The Almudena Cathedral, eternally unfinished, is dedicated to the Madonna whose image was found by Alfonso VI in the original Moorish town of Magerit.

ofrece un buen conjunto de edificios y es una de las calles de Madrid que un cicerone no necesita recomendar al visitante. Acudirá sin darse cuenta a esta calle donde están los cines, las cafeterías, los comercios. Entre la calle de Alcalá y la Red de San Luis vale la pena visitar el Bar Chicote, escenario de muchos relatos de Hemingway del tiempo de la guerra civil, y que hoy contiene un interesantísimo Museo del Vino. La Red de San Luis es una elegante encrucijada de calles y la Plaza del Callao, uno de los más importantes centros de la ciudad.

Desde la plaza de España vale la pena asomarse a ver el Palacio de Liria, en la calle de la Princesa, residencia de los Duques de Alba, otra elegante obra del siglo XVIII que conserva en su interior una importante pinacoteca. En la explanada que antiguamente ocupaba el cuartel de la Montaña, en Ferraz, se alza hoy el Templo de Debod, regalado a España por el gobierno egipcio en consideración a la ayuda aportada por España para el traslado de los templos que estaban a la orilla del Nilo en el lugar que hoy ocupa la presa de Asuán.

Después de ver el elegante Paseo de Rosales, que domina el Parque del Oeste, bajaremos a la estación del Norte y al Paseo de la Florida, para visitar la ermita de San Antonio, primorosamente decorada por Goya con la representación de los milagros del santo. Esta ermita está ligada a un gremio hoy desaparecido, el de las «modistillas», que acudían en la festividad del santo a pedirle que les ayudara a buscar novio. Aunque los tiempos son poco dados a estas intercesiones y aunque el concepto de «novio» ha pasado ya a la historia, aún se siguen celebrando allí alegres fiestas populares.

La Casa de Campo

Visitar Madrid y no acudir a la Casa de Campo sería un imperdonable olvido. Forma parte de la ciudad como la Puerta del Sol o la calle de Alcalá. Ahora está situado allí el Zoológico y el Parque de Atracciones, además de las instalaciones de la Feria del Campo. Pero el carácter popular de la Casa de Campo no debe buscarse sólo en estos lugares, sino en cualquier lugar de su vasta extensión, bajo las encinas o los pinos que la pueblan. Allí puede verse a la gente remando en el estanque, (que supera al del Retiro), jugando al fútbol en las explanadas, comiendo en mesilla plegable junto al utilitario aparcado o haciendo eso que en el lenguaje taurino se llama «toreo de salón» con la ayuda de un compañero que, llevando en la mano unas astas figuradas de toro, embiste al que ensaya con el capote o la muleta. Durante las ferias de San Isidro es costumbre ir a ver a los toros que esperan las corridas en los corrales de la Venta del Baztán.

Pero hemos cruzado para venir aquí, al Manzanares y el río de Madrid no puede atravesarse sin comentario. Quevedo dijo de él que era «aprendiz de río» y Vélez de Guevara, riéndose de los que en él pretendían bañarse, explicó que salían «más fregados de arena que limpios de agua». Hoy se ha canalizado y ha cobrado cierto aire fluvial pero, en tiempos, Góngora pudo decir de este río aquella frase tan propia de su brillante ingenio: «Un burro me bebió y hoy me he meado».

Y sin embargo, el Manzanares tiene una antiquísima historia. En sus orillas acamparon, hace miles de años, los cazadores paleolíticos, que dejaron a su paso hachas de sílex y otros testimonios de sus remotas culturas. Una visita a las salas de Prehistoria del Museo Arqueológico explicará al visitante las razones por las cuales el yacimiento del Manzanares se considera uno de los más importantes del mundo.

El Rastro

Y terminaremos nuestro recorrido visitando el más popular y, en tiempos, el más castizo de los barrios madrileños. Desde San Francisco el Grande, obra de esos dos grandes arquitectos que fueron Sabatini y Ventura Rodríguez, y decorado en su interior con frescos de Goya y de otros pintores, nos dirigiremos a la Puerta de Toledo para, desde allí, entrar en el Rastro. La calle principal de este «marché aux puces» madrileño es la Ribera de Curtidores que va desde la plaza de Eloy Gonzalo, popularmente llamado «El Cascorro», hasta Las Américas (un nombre que en tiempos debió pretender garantizar al cliente que allí podría encontrar cualquier «tesoro») y la Ronda de Toledo. Pero vale la pena introducirse, sobre todo en domingo, cuando los vendedores ponen sus puestos en el pavimento, por las calles de Arniches, Carnero, Mira el Río o Mira el Sol, o bien bajar hasta la plaza que lleva el curioso y casi utópico nombre de Campillo del Mundo Nuevo, para encontrar lo más genuino que puede comprarse en el Rastro y que no son las antigüedades, que las hay, ni los pájaros, ni los cuadros, ni la ropa de soldado, que todo esto lo hay, sino esos pequeños objetos aparentemente inservibles de un infracomercio callejero y que sin embargo encuentran compradores. En los últimos tiempos, el Rastro ha cambiado bastante. Ya no está el hombre que vendía el «Currito de Moda», ni el que hacía sonar su «Don Nicanor tocando el tambor» o sus «Criaturitas sin madre». El lugar sigue proporcionando a los degustadores de la vida urbana, sin embargo, una buena perspectiva para conocer la ciudad.

Y Lavapiés

El barrio de Lavapiés, al otro lado de la calle Embajadores, fue, en tiempos, el más madrileño de Madrid, el barrio castizo por excelencia, como puede apreciarse ya solamente en los nombres de sus calles: Sombrerete, Tribulete, Espino, Amparo, de la Rosa, del Olmo, de los Tres Peces. Su posterior decadencia parece haberse detenido ahora con el proceso de recuperación de todo el casco antiguo de la ciudad. La vieja casa de La Corrala, la única que queda en Madrid en su género, ha sido restaurada recientemente.

Nuestro paseo terminará en una vieja taberna de la calle de Mesón de Paredes, cerca de la plaza de Tirso de Molina, la Taberna de Antonio Sánchez que, cerrada durante unos años, ha vuelto a abrirse ahora, conservando el mismo estilo que tenía en vida de su famoso propietario, Antonio Sánchez, un hombre que fue torero, pintor y tabernero, amigo de Zuloaga y de otros artistas de su época. Allí están todavía los cuadros que pintó y la testuz del toro con el que tomó la alternativa. Antonio Díaz Cañabate le dedicó su famoso libro «Historia de una taberna».

Y así es Madrid. O quizá estaría mejor decir, una parte de Madrid porque son muchas las cosas que se han quedado fuera de este itinerante relato, unas porque caían fuera de su ámbito, otras, por involuntario pero imperdonable olvido. En este lugar poblado desde la más remota antigüedad, surgió un primitivo burgo que fue árabe y llevó el nombre de Magerit, en los tiempos en que su «famoso castillo» aliviaba el miedo del rey moro, según el célebre romance de Moratín. Tomado por los reyes castellanos, el capricho de Felipe II lo convirtió en capital, sin ninguna razón concreta, sin ninguna decisión de gobierno, según parece, quizá sólo porque estaba cerca de su lugar preferido, el monasterio de El Escorial. Desde entonces, hasta nuestros días, no ha hecho sino crecer. Ventajas del centralismo, se dirá y es cierto. Pero, también, por el trabajo de sus hijos y de los que, sin serlo, no tardaron en considerarse madrileños, hijos también de esta ciudad acogedora.

Si mi benévolo acompañante me permitiera terminar con música este relato, le recomendaría escuchar una bella pieza de un compositor que acertó a expresar muy bien la doble faceta, cortesana y popular, del alma de esta ciudad, el Quintetino que lleva por título «Música Nocturna de Madrid», de Luigi Boccherini. A sus compases me despido: que usted lo pase bien. ■ L. C.

El Palacio Real, soberbia obra neoclásica, fue construido en el emplazamiento del antiguo Alcázar en tiempos de Felipe V.

The Royal Palace, a superb work of Neo-classical architecture, was built on the site of the old Alcazar in the time of Philip V.

Escalinata de Sabatini, decorada con frescos de Giaquinto, recibe al visitante a su entrada al Palacio Real.

This staircase by Sabatini, decorated with frescoes by Corrado Giaquinto, is the first thing the visitor sees when he enters the Royal Palace.

El Salón del Trono está decorado con frescos de Tiépolo. La Armería Real guarda una impresionante colección de armaduras, entre ellas la de Carlos V.

The Throne Room is decorated with frescoes by Tiepolo. The Royal Armoury houses an impressive collection of suits of armour, among them that of the Emperor Charles V.

A la izquierda, el Palacio Real desde el Campo del Moro. A la derecha, la Plaza de Oriente.

On the left, the Royal Palace seen from the Campo del Moro gardens. On the right, the Plaza de Oriente.

A STROLL THROUGH MADRID

When the publisher Luna Wennberg asked me to write a "stroll through Madrid" for this book, it occurred to me that I had at least three reasons for accepting. In the first place, my long friendship with Ramón Masats, a photographer whose talent needs no introduction from me and who is the real author of the book; in the second place, my almost life-long love affair with Madrid, a very different thing from the feelings of those who want to discover all its charms in a few days; and in the third place, because I have always been an incorrigible "stroller and lounger".

I have, indeed, done a great amount of walking around Madrid, and not just in the sense of movement. For the Spanish verb for walking (*andar*) does not mean simply going from one place to another, but also being involved in things, or even poking one's nose into things. And my curiosity about Madrid, which my job as a journalist has merely professionalized, has by now produced quite a lot of articles and a book which I called "Living in Madrid", and in which I tried to convey something of the city's tone and atmosphere.

I must first confess —since the reader has a right to know the limitations of his companion on this stroll— that I am not what you might call a specialist in Madrid or an authority on the city. All I know of its history, its architecture, its art or its traditional *fiestas* and other customs comes from reading the books of Pedro de Répide and Juan Antonio de Cabezas, or from Federico Carlos Sainz de Robles, who is a great well of Madrid lore. All three I can thoroughly recommend.

We all know the immense harm done by the city's recent spectacular growth to that historic Madrid we are about to explore. And without falling into the common fallacy of thinking that what is old is beautiful and what is new must be ugly, we must admit that Madrid has lost a lot of its character. For the purposes of this book, however, I think that instead of crying over it we should try to rediscover all that remains —which is quite a lot— of what may be called the authentic Madrid. Sometimes we may have to dodge around raw new buildings to find what we're looking for; but at other times we'll soon realize that all that prevented us from seeing things before was our own habit of hurrying in this restless modern age.

No city, of course, is just a matter of monuments, buildings, parks and so on. It is also —perhaps even more so— the life that goes on in it. And in this aspect your humble guide will try to give you such clues to the life of Madrid as may be suggested by our various encounters on this stroll of ours.

All cities undergo great changes down through the centuries, and the changes in Madrid over the last few decades have been really tremendous. From the city of a million inhabitants that I first discovered in the nineteen-forties we have arrived at the present vast conurbation of four million. And yet there is something in certain cities that seems to defy time; something we might call the style, the feel or even the soul of the place. The Madrid of the 16th and 17th centuries has very little to do with the city as it is today. But when we read the Spanish classics —and a great many Spanish plays and novels are set in Madrid— we find surroundings, and even characters, with such a familiar air that they really seem to belong to the city we know.

Madrid has changed a lot, of course, since four hundred years ago, when Philip II decided to establish his court and capital in that little old Castilian town that the Moors called Magerit. But from those who wrote in the heyday of the House of Austria, such as Quevedo, Lope de Vega or Calderón, through the 19th-century Galdós and Larra, and down to contemporaries like Pío Baroja and Camilo José Cela, there is a literary continuity that assures us that we are in the same, though changing, city.

The Limping Devil

And now that I've mentioned the Spanish classics, if we really want to set out on our stroll without any further delay we can hardly do better than borrow Vélez de Guevara's most celebrated character, the "Limping Devil", and coax him into doing for us the same as he did for the student Don Cleofás Leandro Pérez Zambullo. For the gist of Vélez de Guevara's story, in fact, is that this devil, on being freed by Don Cleofás from his imprisonment in a phial belonging to a wicked astrologer, was so grateful that he said to his liberator: "Now come with me, for I want to do something that will partly repay what I owe you." Whereupon he took the student by the hand and they both flew through the window of the garret in which they had been standing, "as though they had been shot from a cannon, nor did they cease to fly until they stood on top of the tower of the church of San Salvador, the highest vantage-point in Madrid".

From there the devil —whose lameness, incidentally, was due to all the other devils having fallen on top of him when God cast Lucifer and his followers out of Heaven— showed his new friend the city. And not only the outside either, for by his diabolical arts (and the brilliant literary devising of Vélez de Guevara) he lifted the roofs off the houses "and revealed all the meat in the pie of Madrid".

In the somewhat more secular age we live in today, perhaps instead of choosing a church tower this obliging demon would prefer to impress us by wafting us to the top of some skyscraper or other; the Torre de Madrid, say, or the Edificio España.

As for Ramón Masats, an equally talented devil with a camera in his hand, the tower of the Santa Cruz church was the eyrie to which he climbed in order to show us all the beauty of this "roofscape" of Madrid, a sight not to be missed by anyone with the slightest pretension to knowing the city. Looking over those old Moorish roofs, one can easily understand why the people of Madrid used to think of their city as a village, and would shout: "Madrid for ever! The finest village in Spain!" For there is really something rustic about these roofs in the old Madrid of the Austrias; they were probably the work of Moorish builders who survived the transformation of the little medieval town of the Mancha into the capital of Spain.

The Plaza Mayor

The tower of the church to which we have been brought by this diabolical inspiration —a substantial paradox enough!— is quite near a rather pretty square, the Plaza de la Providencia, in which we will find the Palacio de la Santa Cruz, a mansion which is now the Ministry of External Affairs but formerly housed the High Court and a gaol. It was under the arcades of the square that the public scribes used to sit, drawing up legal

La estatua de Felipe IV, obra de Pedro Tacca, requirió la colaboración nada menos que de Martínez Montañés, Velázquez y Gailleo Galilei.

This statue of Philip IV, by the sculptor Pietro Tacca, required the collaboration of such famous men as Martínez Montañés, Velázquez and Galileo.

El Teatro Real fue construido por orden de Isabel II. A la izquierda la Guardia Real y la carroza de los embajadores en el Patio de la Armería.

The Teatro Real was built by order of Queen Isabel II. On the left, the Royal Guard and the Ambassadors' Carriage in the Armoury Court.

documents and writing all sorts of letters for people who could not do so for themselves.

But the Plaza de la Providencia is, I am afraid, overshadowed by the nearby Plaza Mayor. This latter square is the real centre of old Madrid, of that Madrid which one day decided to give up being a village (an ambition never entirely realized) and become a capital. Anyone who visits the stamp market held here on Sunday mornings, however, or at Christmas time strolls among the booths selling figures for cribs, party novelties and all sorts of rattles and noisemakers, will be seeing barely a shadow of the fairs and festivities that used to enliven this square in the past.

For all the commercial, religious and political life of the city became part of the constant spectacle in this "square of all work", where one was equally likely to see a heretic being burnt or a saint being canonized, the coronation of a king or the proclamation of a constitution. One of the most sensational events remembered by the stones of the Plaza Mayor was the execution of Don Rodrigo Calderón, Philip II's famous favourite, who was condemned to death for having abused his position and has come down to us as a byword for pride and arrogance for the way in which he showed his defiance of all and sundry by his haughty looks and attitude on his way to the scaffold.

In this square the fashionable world of the time would attend with equal pleasure an auto-da-fé or the first night of a play by Lope de Vega, strange processions of penitents beating their breasts with stones or spectacular bullfights and equestrian shows. And in recent years, with Madrid apparently wishing to regain some of the old traditions that had succumbed to the city's dizzying growth, there has been a great popular reappraisal of the Plaza Mayor and this whole quarter of the House of Austria. The cafés and restaurants in the square itself are always full; and their patrons are not just tourists but local families with their children, those Madrid children that foreigners are astonished to see running about and playing indefatigably until the early hours of the morning. And at Carnival time, or during the festivities of Madrid's patron saint, San Isidro, the Plaza Mayor overflows with the gaiety of a city that wants to rediscover its traditions.

A stroll under the arcades will reveal some interesting shops: long-established jewellers and silversmiths, stamp and coin dealers, musty old shops selling toys or souvenirs, and a hatshop or two where you can buy a Tolosa beret, a classic English peaked cap, a tricorne or even a topper.

The Walled-up Hussar

All this area around the Plaza Mayor, traditionally inhabited by rather old-fashioned, dyed-in-the-wool Madrid citizens, has now become popular with a lot of people from other parts of the city, for whom this old district has the appeal of a backwater of peace and quiet in the centre of the town —and also the possibility of surprises. If my patient reader will bear with me for a moment, indeed, I can tell him a story that proves this. Not so long ago a friend of mine who had moved into a flat near the Plaza Mayor discovered that one of the rooms did not exactly adjoin the next one but had a false wall which would give him more space if he knocked it down. Accordingly, therefore, he set about this partition with a sledgehammer and had soon made a sizeable hole in it. But on climbing through this with a light to explore what lay beyond, what was his surprise to find the body of a man in hussar's uniform! My friend and his family had a long discussion as to what was to be done about this walled-up corpse and finally, thinking of all the red tape they would be faced with when they reported the macabre discovery, they decided to rebuild the partition and leave the poor hussar where he was, in what has since then continued to be his last resting-place.

The Plaza Mayor was first planned by Juan Gómez de Mora in 1617, and was rebuilt after a series of fires by one of Madrid's greatest architects, Juan de Villanueva, who also designed the Prado Museum. Villanueva, thinking of the last great fire in the square (in 1790), replaced all the wooden structures with stone, designed the arches leading into the square and made the height of all the other buildings uniform with that of the Casa de la Panadería ("Bakery House") on the north side. This house, which takes its name from a bakery that once existed on its ground floor, is the most impressive building in the square; and its balconies served as the "boxes" from which the royal family could watch the shows that were held in the square beneath. Philip IV, indeed, who was something of a womanizer, is said to have had a provisional balcony added to the building at one time as a private box for one of his mistresses. A good example, as one writer tells us, of typical Madrid roguery, though on this occasion with a "right royal" rogue.

Easy Come. Easy Go

Really passionate or lasting love affairs will hardly be initiated by the traveller in any of the bars or taverns in the Plaza Mayor and its surroundings. On the other hand, he may quite easily find a promising *ligue*, or pick-up, there. In Spanish —or perhaps I should say in the Spanish of Madrid— the verb *ligar* means to establish with another person, generally one just met for the first time, an amatory relationship of a transitory kind, not usually leading to anything serious. The word comes from *liga*, the sticky lime that was once used for catching birds.

Anyway, these taverns in the Plaza Mayor and its immediate vicinity, especially the Cava de San Miguel and the Arco de Cuchilleros, are the most typical —perhaps, at times, even too typical— places in Madrid for easy encounters of this sort. Here you will find such suitably decorated establishments as the Cuevas de Luis Candelas, named after a famous highwayman who robbed the rich of Madrid and helped its poor, in true Dick Turpin style. This is a tavern worth visiting, though the "atmosphere" is laid on a little too thickly. If you fancy you are seeing the wraith of Candelas himself, for instance, with his classic cap, his blanket and his blunderbuss over his shoulder, there's no need to be alarmed; it's just one of the waiters.

One recommendation I should make to my reader is that he pause for a moment to

admire the splendid curving façade formed by the buildings of the Cava de San Miguel. Close at hand, too, he will find Sobrino de Botín, one of the oldest restaurants in Madrid and celebrated for its roasts, as well as quite a few traditional old shops, such as the chandler's at which he may still buy votive offerings —hands, feet, hearts, etc. modelled in wax— for presenting at the shrine of the Virgin or saint of his choice, if he believes that this will help to cure any of his ailments.

There are always plenty of odd things to be seen on a stroll round the neighbourhood of the Plaza Mayor. In the Calle Postas, for instance, one can still buy the famous "habits" the devout used to wear —and sometimes still wear, though now much less commonly— to carry out some promise made to Christ or to the Virgin or saint selected to help them in their need. Their colour varies according to the saint chosen and they come complete with penitential cords. Then in the Calle Mayor there are several shops that sell religious objects and images, bespoke tailors who make officer's uniforms to measure and establishments purveying "military effects".

The Old Inns

Coming down from the Arco de Cuchilleros, we soon reach the Calle de la Puerta Cerrada and then, crossing the Calle de Segovia, we enter the Calle de la Cava Baja, which takes us as far as the Plaza del Humilladero. This street —Cava Baja— is the quintessence of all that remains of Moorish Madrid, the Madrid that continued to be a village even after it had been made a capital. There we will find craftsmen working in wood, tin and leather, and a collection of old inns —the Posada de San Pedro, the León de Oro, the Posada del Dragón— which were the destinations of the old stagecoaches that used to lumber in from all the towns and villages around Madrid. These inns still provide lodgings for such provincial travellers, though the stagecoaches have been replaced by ancient taxis full of peasants and venerable omnibuses. The most famous of all is the Posada de San Pedro, also known as the Mesón del Segoviano; its *cuevas*, or "caves", were the predecessors of all those taverns I have just been talking about, which have since proliferated all over old Madrid.

From Puerta Cerrada we will take the Calle de San Justo, which brings us to the Basilica de San Miguel, with its convex 18th-century façade adorned with statues. One of the houses in the charming Plaza de los Cordones nearby is said to have been that of Juan de Vargas, one of whose servants was the patron saint of Madrid, San Isidro "the Ploughman", a saint so saintly that he even married a saint: Santa María de la Cabeza. The Cathedral of San Isidro is in the Calle de Toledo, which also starts out from the Plaza Mayor. It seems true enough that this saint worked hard from dawn to dusk in the fields his master owned on the other side of the River Manzanares. But there is one episode in his life that casts some doubt on this. One day, apparently, Isidro overslept, and only by a miracle were his allotted labours finished. While he slept, two angels ploughed the field for him, thus saving the saintly labourer from the recriminations of his master.

This anecdote became very famous all over Spain, and in some of the more distant regions it has been interpreted as a symbol of the official world of Madrid, drowsing happily while the rest of the country works. There was certainly a period —amusingly portrayed by Larra in his famous article "Come back tomorrow"—when some of the capital's civil servants showed a tendency to imitate San Isidro's example. But the miracle did not repeat itself and the work was left undone. Today the situation is quite different, for Madrid is now an industrial town, where even the civil servants suffer from overwork —both in their official posts and in the jobs they take on the side. But traditions take a long time to die and there are still plenty of tricks for the work-shy. A famous example is the stratagem by which a civil servant leaves a jacket hanging on his chair and goes off about his own business, wearing the jacket he has left in his car. When somebody comes to see him and asks the secretary if Mr So-and-so is there, she looks into the office and informs the caller that "he can't have gone far, because he's left his jacket here". Indeed, a phrase that has become proverbial from frequent repetition in various ministries is that of the messenger who, on being asked whether "the chief" is coming that day, answers: "This isn't his day for not coming, it's his day for not being here. His not-coming days are Tuesday and Thursday."

"Currant Street"

But now we must resume our stroll through these streets with such delightful names as Sacramento, Nuncio, Conde and Rollo, and all the other alleys and little squares that make up the labyrinth of the Madrid of the Austrian dynasty. Puerta Cerrada is also the starting-point of the Calle de la Pasa, celebrated not only on account of the currants (*pasas*) a charitable bishop is said to have distributed there to the poor, but also because in it stands the Presbytery at which all who had any pretension to being authentic Madrid citizens used to arrange their wedding proceedings. In fact there was a saying that ran, more or less: "If a girl doesn't walk up Currant Street, she'll be a spinster all her days."

But if we go along Cava Baja or Cava Alta to the Plaza del Humilladero, we reach the church of San Andrés and the former Plaza de la Paja, now called the Plaza del Marqués de Comillas. This was the centre of the old Moorish Magerit conquered by Alfonso VI in 1083. In the Bishop's Chapel here there is a splendid Renaissance altar-piece by Giralte and the richly Plateresque wall-tomb of Bishop Vargas by the same sculptor. In this same area something of the charm of that far-off Madrid of the Reconquest seems to linger in the Calle de Alfonso VI, the delightful Plaza del Alamillo and the Calle de la Morería. Apparently this last street owes its name ("Moorish quarter") to the fact that the Moors of Magerit took refuge here when King Alfonso entered the town. In Las Vistillas nearby, at the open-air dances in summer, the visitor may perhaps try his skill at the ever-popular schottische, a dance which the Madrid tradition insists must be performed without moving from the same floor tile.

Between the Plaza de San Francisco el Grande and the Plaza de España stretches the Calle de Bailén, a street that will give the visitor some work, though it must be admitted that it will be pleasant work. The Viaduct over the Calle de Segovia is a

En esta página y en las anteriores, el Convento de la Encarnación. A la derecha, el Palacio del Senado.

On this page and the preceding ones, various views of the Encarnación Convent. On the right, the Senate House.

modern construction, replacing the old iron bridge built in 1874. Passing the Viaduct, on our right we leave the Calle Mayor and on our left the Cuesta de la Vega, by which we might go down to the Calle de Segovia and the banks of the Manzanares.

After passing the Almudena, that cathedral eternally unfinished and dedicated to the Virgin whose image was found when Alfonso VI took the town from the Moors (which explains why not a few Madrid women are christened Almudena), we reach the Royal Palace. Thus in a few moments we have passed from the Madrid of the House of Austria to that of the Bourbons, two very different cities. The old inhabitants, indeed, often used the plural form "los Madriles" rather than the singular "Madrid", since they regarded the capital as not one but several towns.

The Royal Palace

The Royal Palace is a superb example of Neo-classical architecture, built on the site of the former Alcazar of the Austrias after the fire which destroyed it in the reign of Philip V. The work was entrusted to the Italian architect Sachetti, though the great Ventura Rodríguez was also decisively engaged on it. Seen from the Plaza de Oriente, this palace is certainly very impressive, but an even more majestic view of it can be had from the gardens of the Campo del Moro, a park recently opened to the public.

It is built in granite from Guadarrama and white limestone from Colmenar, with walls four metres thick, and Carlos III was not able to inhabit even a part of it until twenty years after the work had begun. The interior is as sumptuous as the magnificent exterior suggests, making it one of the finest palaces in Europe. The marble staircase by Sabatini, with paintings by Giaquinto in the dome, confronts the visitor as he enters from the Plaza de la Armería, and from this entrance a succession of rooms open to the public — the Hall of the Halberdier, the Columned Salon, the King's Quarters (with the rooms Carlos III had fitted out for his own residence), the Gasparini Salon, the Porcelain Hall with pieces from the Buen Retiro Factory, the State Dining-room and the Ventura Rodríguez Chapel — leads to the magnificent Throne Room, with its frescoes by Tiepolo. One can also visit the private apartments of Alfonso XIII and his family, which are just as they left them when they went into exile in 1931.

Today the Palace is used for official receptions, as the King and Queen do not live here but in La Zarzuela, a comparatively modest mansion though surrounded by charming gardens and by the splendid holm-oak woods of El Pardo.

As well as the Campo del Moro — which I have already mentioned, and which also contains the Carriage Museum — the Royal Palace has another beautiful park, which is known as the Sabatini Gardens. The *Armería*, or Arms Museum, houses a very rich collection, among its most important pieces being the suits of armour of the Emperor Charles V, Philip II of Spain and King Sebastian of Portugal, the tent François I of France slept in before Pavia, and the swords of the saint-king Fernando III of Castile, Ferdinand of Aragon, the "Great Captain", Francisco Pizarro, etc.

From the open gallery in the courtyard of the Armería there is a magnificent view over the park of the Casa de Campo, with the Sierra de Guadarrama in the background. This is the landscape Velázquez saw every day from his studio in the gallery of the old Alcazar. And it is a view that inevitably reminds us of Velázquez, for in it we see that light composed of green and bluish tones that the great painter captured so well in his works.

The Plaza de Oriente did not become a proper square until early in the last century, during the brief reign of Joseph Bonaparte (known to the people of Madrid as Pepe Botella, or "Bottle Joe"), who had a number of half-ruined houses there pulled down, leaving a vast empty space which was later formally laid out for Isabel II, with gardens and a lot of statues of Asturian and Gothic kings. The sculptures are very poor; Sainz de Robles, indeed, places them high on his list of sculptures Madrid would be better without. But at the centre of the Plaza de Oriente stands one of the finest equestrian statues in the world: that of Philip IV. It may really be considered a collective work, for the drawing was by Velázquez, the first model by Martínez Montañés and the definitive work by Pietro Tacca, who was also responsible for the statue of Philip III. Then, since the horse is supported solely on his hind legs, there was a problem about maintaining the balance, a problem solved by no less a personage than Galileo, who on being consulted advised Tacca to make the front of the statue hollow and the back solid.

Diplomats in a Carriage

If you happen to be passing the Royal Palace on a day when some ambassador is presenting his credentials, you may see a rather unusual sight, though it is a feature of Madrid protocol well-known in the diplomatic world. The ambassador drives slowly along in a carriage, with coachman and postilions in gorgeous 18th-century livery, and in the endeavour to maintain the utmost in neatness and cleanliness another servant goes behind the carriage armed with a brush and dustpan, in order to clear the street of any untimely memento of their passage that the horses might so far forget themselves as to leave.

Across the Plaza de Oriente from the Royal Palace stands the impressive building of the Teatro Real, more commonly known as "the Opera House". Its site has long been connected with the theatre, for the Teatro de los Caños del Peral stood here until 1818, when it was pulled down to make room for the present building, designed by Antonio López Aguado. And Caños del Peral was the former name of the square now called the Plaza de Isabel II, after the queen to whose fondness for music we owe the completion of this building, work on which had been interrupted several times. In a Royal Order dated in 1850, the Conde de San Luis, then chief of government, proclaimed: "Her Majesty the Queen having decided that the capital of the Monarchy cannot be allowed to continue without a theatre worthy of the Court, I have given orders for work to begin immediately on the completion of the Teatro de Oriente." Madrid, with its habit of erecting statues to pay for favours received, could not fail to do so for his music-loving queen. It was modelled by José Piquer and unveiled on the very day on which the curtain rose for the first time in the new Opera House — on a performance of Donizetti's *La Favorita*.

La Plaza de la Villa es un precioso conjunto arquitectónico. En la página anterior, el Ayuntamiento. A la izquierda, entrada e interior del Ayuntamiento. A la derecha, casa de los Lujanes.

The Plaza de la Villa is a really beautiful architectural ensemble. On the preceding page, the Town Hall. On the left, entrance and interior of the Town Hall. On the right, the Casa de los Lujanes.

The Encarnación convent —in the square of the same name, adjoining the Plaza de Oriente— was founded by Philip III's wife, Queen Margaret, and owes its fame —apart from its important collection of sculptures and paintings— to a miracle popularly supposed to take place there on 27th July every year. Like the famous miracle of San Gennaro in Naples, it consists in the liquefaction of the blood of the Bithynian martyr St Pantaleón, which is preserved in a reliquary. Many of the faithful go to see this phenomenon, and if it does not occur, or the liquefaction lasts too long, it is said to presage some public calamity.

In front of this convent —an elegant building designed by Gómez de Mora, but with the interior much altered by Ventura Rodríguez— stands the statue of Lope de Vega. A short detour here brings us to the Plaza de la Marina Española and the Spanish Senate, whose chamber is housed in what was once the church of an old Augustinian Convent. Returning to the Plaza de Isabel II, there is only a very short walk to the Plaza de Ramales, where the church of San Juan stood until it was pulled down in the Napoleonic period. In this church Velázquez was buried, and a cross and a slab in the centre of the square remind us that somewhere underneath lies the tomb of the great painter.

Literary Memories

The whole of this part of Madrid is full of literary associations. In a house in the Calle de Bailén lived the Mexican poet, Amado Nervo; in a café, now vanished, in the Plaza de Isabel II, the great Antonio Machado and his brother, Manuel, used to meet their friends; in a house in the Calle de Campomanes the composer Tomás Bretón died, the author of that Spanish operetta most absolutely redolent of the atmosphere of Madrid, *La verbena de la Paloma;* and in the Calle de Santa Clara we may see a plaque commemorating the suicide of Mariano José de Larra, on 13th February (Shrove Tuesday) 1837.

By now our stroll should have taken us up to lunch-time, and if we have not decided to lunch at Botín or Casa Paco in Puerta Cerrada, at Schottis in Cava Baja or at Gure Etxea in the Plaza de la Paja, since we are in this district we might try our luck at the old Taberna de la Bola or at El Alabardero, a modern but evocatively decorated restaurant where a Basque priest, Luis Lezama, offers not only excellent cuisine but also a chance to be present at one of the political discussions that are so frequent there. This alliance between gastronomy and politics is one of those key-notes of Madrid life that every visitor should know. It is, after all, inconceivable to talk of politics without eating; and many people find it equally inconceivable to eat without talking of politics.

But let us now walk along the Calle Mayor, which goes from the Calle de Bailén to the Puerta del Sol, in the same direction as that taken by the city itself as it grew from west to east, and thus condenses the whole history of the city. In this street we find features of interest ranging from the house where Lope de Vega is said to have been born to the place where Mateo Morral threw a bomb hidden in a bouquet of flowers at the carriage taking Alfonso XIII and his bride, Victoria Eugenia de Battenberg, from their wedding at the Jerónimos church. Or the place supposed to have been the scene of the murder of the famous Conde de Villamediana, the poet-knight who entered the lists in the Plaza Mayor with the arrogant device "My royal love".

The Plaza de la Villa

In the Calle Mayor there is another fine old restaurant, Casa Ciriaco, where there is also much talk of politics, though in this case municipal politics, for it is very close to the Town Hall of Madrid, in the Plaza de la Villa. This square, presided over by a statue of Alvaro de Bazán (that Marqués de Santa Cruz so highly praised by Cervantes, who fought under him at Lepanto), is one of Madrid's most interesting architectural ensembles. The Town Hall itself was designed in the 17th century by Gómez de Mora and magnificently restored by Juan de Villanueva in the following century. It houses some important works of art, among them an allegorical picture of Madrid painted by Goya, with a medallion under it which has an interesting history. For the great artist first painted on it a portrait of Joseph Bonaparte, for which he later substituted one of Fernando VII; this was in turn replaced by the word *Constitución,* and finally, after Vicente López had painted the King's portrait on it again, a 19th-century painter traced the words "Second of May" across it. A telling illustration of political vicissitudes over the years.

This square is closed by the Casa de Cisneros, now joined to the Town Hall, and possesses two other important buildings. One is the Casa de los Lujanes, with its massive tower, in which François I of France is said to have been imprisoned for a time. Today it houses the Academy of Moral and Political Science, as well as a famous 18th-century institution, the "Royal Madrid Society of Friends of the Country". The other house is the Municipal Library of Periodicals, which has some extraordinary collections. Near this square at one time stood the church of San Salvador, to the tower of which the Limping Devil carried Don Cleofás in Vélez de Guevara's immortal work.

The Puerta del Sol

And so we come to the Puerta del Sol (the "Sun Gate"), more usually known in Madrid simply as "Sol", which is also the name used on the signs in the Metro —for Sol is an important junction in the Madrid underground system. One cannot really say today that the Puerta del Sol is the centre of Madrid; Cibeles, Callao, the Plaza de España and the Plaza de Colón all compete with it for this title. But it is certainly still the centre in the popular imagination. Here the ascetic elegance of the old Madrid of the Austrias and the French or Italian chic of the Bourbon city are elbowed aside by the southern raucousness of a town which, apart from being itself, is also what has been called "the breakwater of the different Spains".

Indeed it is a square that represents not only Madrid but also the whole of Spain.

In Sol you will see many bewildered strangers just arrived in the city. The soldier waiting for his girl-friend at the Metro entrance in front of the Mallorquina sweet-shop, the provincial queuing for tickets at the lottery office run by "Doña Manolita's Sister" (the other "sister", Doña Manolita herself, has her office in the Gran Vía), the peasant gaping up at the famous ball over the clock of the Ministry of the Interior: these are just some of the characters regularly to be seen here in the Puerta del Sol, where the principle of centralist government is trenchantly enounced on the pavement, in the inscription telling us that this point is "Kilometre 0" on all the radial roads of Spain.

As for the actual "Sun Gate" which must at some time have existed in this square, it has long sice vanished. Apparently it stood between the Calle de Alcalá and the Carrera de San Jerónimo and, whether because it faced east or from some whim of the artist's, had a sun incised on the stone. And Manuel de Palacio used to say that though there were many doors or gates closed in Madrid —those of honest employment to the hard-working man, those of the Academy to the true savant— there was one that was never closed, and that was the "Gate of the Sun".

Thus this square is a symbol of Madrid's greatest virtue: that of being a truly open city, one which, to quote one of its most famous sons, Ramón Gómez de la Serna, is "a city without *metoikoi* ". In ancient Greece the *metoikoi* were strangers of foreigners despised for their condition. But nobody has ever felt himself to be a stranger in Madrid, either now when most of the city's inhabitants are people whose origins are elsewhere in Spain (to such a point that in many circles and districts it is unusual to meet people born in Madrid) or in the days when the city could truly be said to be inhabited by people of pure Madrid stock.

The Puerta del Sol could tell many a story, not only relating to the history of Madrid but also in connection with that of all Spain. The Charge of the Mamelukes, for instance, so superbly painted by Goya in his *Second of May*, took place in this square. And it was here, too, that the priest Merino stopped Fernando VII's carriage, thrust a copy of the Constitution at him and delivered his famous phrase: 'Swallow it, tyrant!" Here resounded the cries of freedom that greeted Riego's arrival —and also the mad shout "Hurray for chains!" uttered by the absolutists.

The Gossip Exchange

On the corner of Sol and the Calle Mayor there used to be a church, San Felipe el Real, on the steps of which was Madrid's famous *Mentidero*, or "Gossip Exchange", a place so famous that it was said that news of events arrived there before the events themselves had taken place. The church was swept away in the course of one of the many redevelopments suffered by the square. But the Gossip Exchange still flourishes; not just here, however, but all over Madrid.

There is one night in the year which is particularly famous in the Puerta del Sol. On New Year's Eve the square is crammed with noisy revellers waiting for midnight to strike on the clock of the Ministry of the Interior, the signal for them to eat the traditional twelve grapes —one for each stroke. People always marvel at the mechanism that brings down the ball over the clock when it strikes twelve. Both this mechanism and that of the clock are the work of a curious 19th-century character called Ramón Losada, an illiterate shepherd from León who, after conspiring in Madrid against the absolutist regime, went into exile in London and became a watchmaker, a friend to poets and the founder of a "Spanish-speaking circle" that was much frequented by many politicians and intellectuals banished by Fernando VII.

The streets around the Puerta del Sol also deserve some exploration. Though the area stretching from Sol to Callao along the pedestrian precinct of the Calle de Preciados is now full of department stores, there are still some fine old traditional establishments left. A good example is the ancient tavern and restaurant Casa Labra, in one of the rooms of which a group of Madrid workers presided over by Pablo Iglesias founded the Spanish Workers' Socialist Party in 1879. Nor should we forget the fried-fish shops in the Calle de Tetuán, where you can eat one of the most absolutely typical delicacies of Madrid: the *bocadillo de calamares*, which means a bread roll stuffed with squid.

Casa Labra itself specializes in *pinchos* (pieces of meat skewered on sticks) and cod fritters. And this brings us to a most important feature of Madrid life: the *aperitivo*. Madrid is a city where you don't have to sit down in a restaurant to eat well. Apéritif snacks are so varied and abundant here that, rather than exciting your appetite they take it away. Which does not mean that Madrid people about to lunch at a restaurant will deprive themselves of a brief visit to a bar or tavern to "give themselves a mouth" before sitting down to table.

"Where do you stop?"

In Madrid, where people spend so much time in the street, and there is also a very large "floating population", these bars and taverns are very important as meeting-places. Some people, indeed, are such regular patrons that the establishment in question becomes almost a second home, where they receive letters, messages and telephone calls. This custom is known in Madrid as "stopping". "I stop at such-and-such a bar", a man may tell you, when you ask where you can find him.

The institution of the *chateo* (which can range from having a couple of glasses to going on a regular pub crawl) is not exclusive to Madrid. In the Basque Country, for instance, where it is also well-established, it is called *chiquiteo* or *poteo*, for the Madrid *chato*, or glass of wine, is there known as a *chiquito* or *pote*. And as for the *tapeo* —the habit of eating *tapas*, which are small (sometimes not so small) helpings of food, with a glass of wine or a beer— this originated not in Madrid but in Andalusia. In Madrid, however, the *tapas* are infinitely varied, being presented as *pinchos*, *montaos*, *banderillas*, *raciones*, etc., and acquiring still more curious names in some establishments. In one bar in the Calle de la Ballesta, for instance, a *pincho* of black pudding is called a "phone call to Burgos", while one with the more piquant *chorizo* is known as a "phone call to Soria".

La Puerta del Sol tiene muchas cosas que contar, que pertenecen, no sólo a la historia de Madrid sino también a la de todos los españoles.

The Puerta del Sol could tell us plenty of stories —stories not only of Madrid but of the whole Spanish nation.

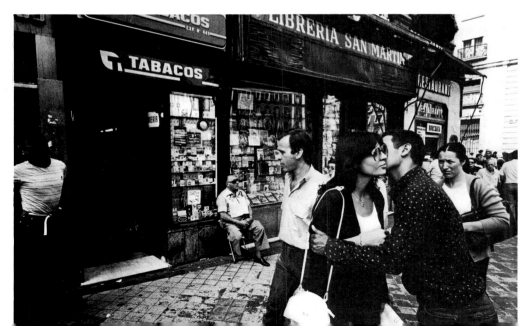

The *bocadillo* (or *bocata,* as the young people call it now), which is the classic Spanish split roll of bread with a filling, is not an appetizer at all, of course, but rather a substitute for lunch or dinner. There are all sorts of *bocadillos,* ranging from the one filled with ham —usually presented with the thin slice of ham sticking out all round, like a tongue proclaiming the abundance of the filling, though this is usually an illusion— to that extraordinary sort which has a filling of fried potatoes, and including the one filled with squid that I have already mentioned, and which is merely the most popular of all. But the most elegant, perhaps, is the *pepito,* in which the filling consists of a small grilled steak. In the modern cafeterias, of course, the *bocadillo* has been largely ousted by the more international sandwich, served hot.

Although the *chateo* now seems to be losing ground to the less typically Spanish practice of drinking gin or whiskey, it is nevertheless still very popular. To its wittier partisans this sort of pilgrimage by a group of friends from bar to bar or from tavern to tavern is sometimes known as "the Stations of the Cross". Special mention should be made here of the waiters in this branch of catering —the only industry in Madrid, it is said, that never knows what a slump is. With their weird cries of phrases like "One lot of mush(rooms) and two of tripe, coming up at the double!" (to give a rather weak translation), Madrid waiters astonish foreigners by the speed of their service.

I have deliberately omitted from the above remarks all mention of the extremely important subject of seafood, which I am reserving for later, when I "reveal" that Madrid is one of the principal maritime cities in Spain, despite the fact that the sea is at no point less than two hundred and fifty miles away. But for the moment let us walk down the Calle del Arenal to see some other interesting sights. We must certainly visit the church of San Ginés, for its associations with the lives of both Quevedo and Lope de Vega, and also to see the important paintings of the Spanish school in its Chapel of the Most Holy Christ. Beside this church there is a delightful second-hand bookshop, with its shelves right out on the pavement; and behind the church we find the chocolate shop in the Callejón de Eslava, which provides heartening breakfasts for all-night revellers.

"The Holy Child of the Remedy"

In one of the streets crossing the Calle del Arenal there is a chapel full of votive offerings, the chapel of the *Niño del Remedio* (the "Holy Child of the Remedy"), and in front of this there is a wax chandler's with the same name. Then in the Plaza de San Martín, adjoining the Plaza de las Descalzas Reales, we come to the *Caja de Ahorros,* or Savings Bank, which merged with the *Monte de Piedad* to form one of the most important savings and welfare institutions in Madrid. As for the *Monte de Piedad,* which was a sort of state-run pawnshop and savings institution, it was founded in the 18th century by Father Piquer, who gathered a group of likely patrons at his house and, with all the solemnity of a founding father, placed a symbolic silver *real* in a savings box which is still preserved here.

The convent of the *Descalzas Reales* (a royal foundation of Discalced Carmelites) was designed by Juan Bautista de Toledo, the first architect of the Escorial, and for many years it served as a place of retirement for princesses and noblewomen. In one of the chapels we find the tomb of Doña Juana, daughter of Charles V, by the sculptor Pompeo Leoni. There are also pictures by El Greco, Alonso Cano and other painters, and the Reliquary Room is famous for its numerous relics of saints and presents from monarchs and popes.

The Puerta del Sol and the Calle de Sevilla are linked by two streets, almost parallel at this stage, which are among the most famous in Madrid: the Calle de Alcalá and the Carrera de San Jerónimo. The Calle de Alcalá (or "cal'Calá", to give it its more popular title) is almost a synonym of Madrid. In this street —which goes from Sol to the Cruz de los Caídos, where it becomes the "Aragon Road" and would take us to the city of Alcalá de Henares, which gives it its name— there are so many things to see that merely to mention them would make this account a tedious list of names. In this first stretch, from Sol to the Calle de Sevilla, I will mention only the former Royal Customs House, now the Ministry of Finance, a magnificent building by the Italian architect Sabatini, that architect to Carlos III who had worked for the King at Naples and who is so closely connected with the history of Spain. Then, just before we reach the Calle de Sevilla, there is the Casino de Madrid, a fine mansion with very original decoration in the interior.

In the Carrera de San Jerónimo we find what is undoubtedly the oldest and most famous restaurant in Madrid: Lhardy. It was founded in 1838 by the Swiss restaurateur whose name it still bears, and the decoration of its rooms has remained largely unchanged since the days when it welcomed the most important public figures in 19th-century Madrid, from General Espartero to the novelist Pérez Galdós. Its finest dining-room is the "Japanese Room" and its best-known dish is *Cocido madrileño* (Madrid stew), still popular today at political and literary luncheons. Lhardy, however, is not only famous as a restaurant but also as a delicatessen and pastry-shop. No stroll through Madrid is complete without stopping at Lhardy to have a little bowl of consommé served from a silver urn.

"Cocidito Madrileño"

The *cocido,* close kin to many other stews all over Spain, is not usually found on the menu in Madrid restaurants, though some of them will prepare it to order and in many others it is served on one day in the week —always the same day, so that the regular patrons may know when to expect it. It is a dish so abundant, so rich and so demanding for the digestion that people in Madrid usually call it by the diminutive form of this name, *cocidito,* in an attempt to dissimulate something of its pantagruelian character. It is generally agreed that if you have *cocido* for lunch you will be unable to work that afternoon. But this is always said, curiously enough, when one is eating it on a week-day.

In the cuisine of Madrid there are not many dishes specifically characteristic of the city. The other great speciality *"a la madrileña"* is tripe, another very strong dish that

Las «Tapas» son un componente esencial de la gastronomía Madrileña. A la derecha, el oratorio de la iglesia del Caballero de Gracia.

"Tapas" (appetizers) are an essential element in the gastronomy of Madrid. On the right, the oratory in the church of the Caballero de Gracia.

Portada de la Caja de Ahorros y Monte de Piedad de Madrid, fundada por el Padre Piquer en el siglo XVIII.

Main doorway of the "Caja de Ahorros y Monte de Piedad de Madrid" (Madrid Savings Bank and Official Pawnshop), founded by Father Piquer in the 18th century.

El Convento de las Descalzas Reales guarda una valiosa colección de obras de arte.

The Convent of the "Descalzas Reales" (a royal foundation of Discalced Carmelites) houses an important collection of works of art.

La Sala del Relicario está formada por donaciones de reyes y papas al Convento de las Descalzas Reales. A la derecha, la escalinata del convento.

The Reliquary Room contains many donations made by kings and popes to the Convent of the ''Descalzas Reales''. On the right, the main staircase of the convent.

proves the miracles that can be wrought by a good cook with such unpromising raw materials. In fish cookery, however, there are some famous specialities which, though not described as being *a la madrileña*, are really very much so. The most typical Christmas dish in Madrid, for instance, is baked red bream (*besugo al horno*). And sole is presented in forms as peculiar, and tasty, as the "sole with skin" (*lenguado con piel*) that they serve in the tavern called Maxi near the Puerta de Toledo. As for *bonito*, or tunny, which is prepared either with tomatoes or smothered in onions, it is so typical of Madrid cuisine that one would almost think it was caught in the lake in the Retiro park.

This is not the place to sing the praises of all the things you can eat in this open city, where today you can find all the specialities of both Spanish and international cooking. Suffice it to say that one of the delicacies now most characteristic of Madrid is that *"plato combinado"* ("combined dish") which brings together on the same plate elements as typical of Madrid and Spain as a French omelette, York ham, Frankfurt sausages or Russian salad. A very different thing, of course, is the far-famed *tortilla a la española* (Spanish omelette), which is potato omelette, sometimes with onion in it, and is the dish Spaniards refer to when they say simply "tortilla"; it is only the "French" omelette that needs to declare its origin. Though in Madrid, and indeed all over Spain, practically anything edible can be put in an omelette.

In Madrid today one can find practically all the possible varieties of international cooking, and of that of the different Spanish regions, including the most sophisticated specialities of the *nouvelle cuisine*. There are so many restaurants now in this city, where catering is probably the most important industry, that it is difficult to give any list that would not be arbitrary to some degree. A very restrictive list should include (apart from those I have already spoken of in this account) at least the following: Horcher, Jockey, El Bodegón, La Gran Tasca, Valentín, El Horno de Santa Teresa and Amparo. Establishments serving a simpler sort of food are: Salvador, Carmencita, La Fuencisla, Casa Mingo, Casa Ricardo, La Puebla, La Zamorana and La Suprema. As regards bars or taverns worth visiting for an apéritif, there are Los Pepinillos, Sierra and several others that still preserve the traditional decor of such places, with tiled walls and zinc-topped counters.

The Cape

But we were in the Calle de Sevilla just now (the Wall Street of Madrid, if not quite on the scale of the original), a street in which there are not a few buildings of remarkable architecture, the head offices of the country's great banks. And now, if we walk along the Calle del Príncipe from the Plaza de Canalejas, we come to the Plaza de Santa Ana, which possesses one of the longest-established theatres in Madrid, the successor to an old *corral de comedias* (open-air theatre) that once stood on this spot. In the middle of this square there is a statue of Calderón de la Barca, with an inscription

that is a punning reference to his most famous play, *Life is a Dream*, for it runs: "Life is a dream, but not your glory". On one side of the same square is the old beer-house called the Cervecería Alemana, at which the regular clientele of old bullfight aficionados mingles today with members of a younger generation who like to see such authentic establishments preserved.

By the Calle Núñez de Arce we may reach the Calle de la Cruz, where we will find the true centre of the bullfighting world in Madrid. Most of the bars and taverns display the latest bullfight posters, and in the nearby Calle de la Victoria you can see banderilleros, picadors and young would-be bullfighters on the look-out for possible contracts, mingling with the aforesaid aficionados, who come to queue for their tickets at the official box-office here, especially around the feast-day of San Isidro, on 15th May, when the most important bullfights of the year are held. In the Calle de la Cruz we can also see the old tailor's shop called Seseña, the only one left that still makes up the traditional Madrid cape.

Then there is another district full of taverns and restaurants stretching from the Calle del Prado to the Carrera de San Jerónimo, below the Calle del Príncipe. A sight worth seeing here is the tiled entrance to "Viva Madrid" and its interior, decorated with bullfight posters. And the pubs in the Calle de Echegaray and the Calle de Ventura de la Vega offer still further opportunities for the practice of the *chateo*, which I have already described as constituting one of the favourite sports of both the people of Madrid and those visiting the city. Going down along the Calle del Prado, which has a great selection of antique shops, we come to the *Ateneo* (Athenaeum), one of the institutions that have had the most profound influence down through the years on the political and cultural life of Madrid and the country as a whole. Its progressive and liberal tradition can still be observed in the informal literary meetings held in its *"Cacharrería"*, attended in their time by such great writers as Pío Baroja, Miguel de Unamuno and their friends (the celebrated "Generation of '98").

It would be impossible to enumerate all the things to be seen on a visit to Spain's parliament, the "Congress of Deputies", if it were open to visitors. The building was designed in the 19th century by Narciso Pascual y Colomer. The principal entrance door, flanked by the two bronze lions, is opened only for the Head of the State. The Assembly Chamber itself is splendidly decorated with frescoes of historical subjects, on which the Assembly has decided to leave untouched the still recent bullet-holes, as a lasting reminder of the frustrated *coup-d'état* on 23rd February 1981. The "Hall of Vanished Footsteps" or, to give it its more official title, the "Lecture Hall", is the place where the deputies stroll during the intervals of their deliberations. The gallery of portraits of Presidents of the Congress, on the first floor of the building, contains works by such important painters as Madrazo and Sorolla. To enter the building when the Congress is sitting one needs an invitation, and on other days a special authorization from the President's Office.

If we set out from the Plaza de las Cortes, with its statue of Cervantes, and walk along the Calle de Medinaceli, we will come to the district that was known as *Cantarranas* in the classic period of Madrid. On the first Friday of every month a queue of devout people forms here, waiting to enter the church of Jesús de Medinaceli. If my companion shares their devotion he should not neglect to make this visit, for it is said to have miraculous effects. In this district, too, there are two streets linked by a curious particularity: in the

Página anterior, edificios de instituciones bancarias de la calle de Sevilla y del Ministerio de Hacienda. A la izquierda, el más famoso restaurante de Madrid, Lhardy. A la derecha, la Plaza de Santa Ana.

On the proceding page, the Ministry of Finance and various banking houses in the Calle de Sevilla. On the left, Madrid's most famous restaurant, Lhardy. On the right, the Plaza de Santa Ana.

La Plaza de Santa Ana, con el Hotel Victoria, El Teatro Español y la Cervecería Alemana. En sus proximidades la tasca taurina de Viva Madrid. A la derecha, la Casa de los Vargas, en la calle del Sacramento.

The Plaza de Santa Ana, with the Hotel Victoria, the Teatro Español and the Cervecería Alemana. Close by, the Viva Madrid, a tavern frequented by builfight fans. On the right, the Casa de los Vargas, in the Calle del Sacramento.

Calle de Cervantes stands the house Lope de Vega lived in, while Cervantes is said to be buried in the old Trinitarian convent in the Calle de Lope de Vega.

By now we have reached the Hotel Palace, one of the first hotels to be built in Madrid; and, crossing the Plaza de Cánovas del Castillo, we will leave the Paseo del Prado for the moment, with its famous museum and the charming gardens (called the "Salón del Prado") which delighted Théophile Gautier and many other visitors, in order to visit the church of San Jerónimo el Real, originally founded by Isabella of Castile and rebuilt in the last century by the architect who also designed the Congress of Deputies. The Jerónimos church, as it is more commonly called, is closely associated with all the family events of the royal house of Spain.

"Cleaning, Fixing and Imparting Lustre"

The district in which this church stands is one of the most elegant in Madrid, as we may see for ourselves on a walk through such streets as Felipe II, Academia (where we find the building that houses the Royal Spanish Academy, entrusted with the mission expressed in its motto: to "clean, fix and impart lustre" to the language), Casado del Alisal, Moreto or Ruiz de Alarcón. In this last-named street, incidentally, is the house once occupied by that great interpreter of Madrid, Pío Baroja. In the Army Museum there are military relics and trophies of many different periods, from the sword of Boabdil, the last Moorish king of Granada, down to various mementoes of the Spanish Civil War. And in the Casón del Retiro, formerly the Museum of Reproductions, important exhibitions of paintings are frequently held.

But by now our stroll has brought us to the park of the Retiro (the "Buen Retiro", to give it its official title), which appears to have been a royal property since the 15th century. Its gardens were originally those of a palace occupied by the early kings of the House of Austria and later abandoned in favour of the Alcazar which, as we have seen, was the predecessor of the present Royal Palace. Towards the end of the last century these gardens were made over to the people of Madrid and opened to the public. The lake, apparently, already existed in the time of Philip II, who on more than one occasion used it for organizing the "naval battles" then described as *naumachies,* a precedent for the very popular Madrid custom of "going for a row in the Retiro". Beside this lake rises the magnificent Monument to Alfonso XII, by José Graces, adorned with sculptures by the most famous artists of the turn of the century. Madrid's passion for statues reaches its zenith in the Retiro, but it must be admitted that in this plethora of writhing stone there are some real works of art, works by such sculptors as Victorio Macho, Benlliure, Collaut Valera, Miguel Blay and Ricardo Bellver. The most curious of all the statues in the Retiro —or, indeed, in the whole of Madrid— is that of the Fallen Angel, by the last-named of these sculptors. Madrid must surely be the only city in the world which has a statue of the Devil.

It is sometimes said that Madrid has not enough "green belts". But though it is true that some have disappeared and that others should be created, particularly in the poorer quarters, yet it cannot be said that Madrid is among the least favoured cities in this aspect. Even apart from the Retiro, I need only mention the Botanical Gardens, a magnificent 18th-century creation, the Parque del Oeste, the gardens of the Royal Palace, the landscaped areas in the Calle de Segovia, the gardens of the Fuente del Berro, and the charming "Capricho" in the Alameda de Osuna. All of these —without, of course, counting the vast park of the Casa de Campo— are enough to prove that Madrid, though not exactly a second London in this regard, has no great need to envy other cities.

The *Palacio de Cristal,* or "Crystal Palace" —designed by Ricardo Velázquez, as was the nearby structure which bears his name— is one of the most beautiful and original buildings in Madrid. It was erected towards the end of the last century, to house exotic plants brought from the Philippines, and today it is the venue for important exhibitions. Its situation, beside a little lake with swans, lends even greater elegance to its graceful proportions.

As we stroll through the Retiro we will find corners full of leafy trees of all kinds —it is calculated that this park holds over sixty thousand trees— and delightful gardens, like the ones in the space occupied by the "Wild Beast House" from the time of Fernando VII until a comparatively recent date, when the animals were transferred to the new Zoo in the Casa de Campo. Or beautiful flower-beds, like the ones in the Rose Garden. Another feature worth visiting here, near the Claudio Moyano entrance, is the Astronomical Observatory, designed by Juan de Villanueva during the enlightened reign of Carlos III, the monarch so rightly designated "the best Mayor of Madrid".

The Retiro park is inextricably associated with the life of Madrid. In it we see young mammas with their offspring, earnest examination candidates taking a rest between one paper and the next, whole families having their vermouth with potato crisps in one of the pavilions, pensioners dozing in the sun, nervously swotting students, chess-players and, above all, lovers, always lots of lovers. You might almost say, indeed, that every love affair in Madrid must include at least one rendezvous in the Retiro.

The Puerta de Alcalá

Passing along a walk lined with statues —yes, more statues, this time statues of kings— we come out into the Plaza de la Independencia, presided over by an enormous, and very imposing, monument, the Puerta de Alcalá ("Alcalá Gate"), which was designed by Sabatini, also during the reign of Carlos III. If you look very closely at the side of this monument facing the Retiro, you can see faint traces of bullet-marks on the stone. They were made during the Peninsular War, which is known to Spaniards as the War of Independence.

Whether by day or by night, the view to be had from the Puerta de Alcalá is magnificent; taking in the fountain of Cibeles, the Bank of Spain and, in the background, the confluence of the Calle de Alcalá and the Gran Vía, this is easily the most widely-known "postcard" view of Madrid. On the right-hand side of the Calle de

El Congreso de los Diputados reflejado en la puerta de cristal del Hotel Palace. En el extremo izquierdo, la iglesia de Medinaceli atrae a los fieles cada primer viernes de mes.

The Congress of Deputies, mirrored in the glass door of the Hotel Palace. On the extreme left, the church of Jesús de Medinaceli, to which devotees flock on the first Friday of every month.

*A la izquierda la Iglesia de los Jerónimos,
ligada a la historia de la Casa Real Española.*

*On the left, the church of San Jerónimo el Real
(the "Jerónimos"), intimately associated with the
history of the royal house of Spain.*

El estanque del Buen Retiro con la fuente de Alfonso XII.

The lake in the Buen Retiro park, with the statue of Alfonso XII.

La Banda Municipal, alegría del domingo por la mañana en su kiosco del Retiro.

The Municipal Band adding to the Sunday morning gaiety from their bandstand in the Retiro.

Alcalá, just before you reach the square, there is a long-established beer-house, the Cervecería de Correos, and near it stands one of the oldest cafés in Madrid, the Lyon. And speaking of cafés, it must be admitted that in this respect Madrid has suffered great losses, losses all the more regrettable when we remember the vast selection there was only a few years ago. I need not even mention the long-vanished Pombo, where Ramón Gómez de la Serna and his friends used to forgather. But in more recent times we have also seen the disappearance of the Levante and of the Universal, which became a *café chantant* in its last years, the Café Varela, turned into a cafeteria, and the Viena, which was quite ruined by its last "restoration". Some idea of what café life in Madrid used to be like can still be obtained from a visit to the Café Ruiz or to the aforesaid Lyon, which still provide the settings for traditional *tertulias,* that untranslatable Spanish word for regular, but informal, gatherings of friends — not that they are all that traditional either now, for I know one at which the only subject of conversation is the possible doings on other planets. Then there is the Café Gijón, in the Paseo de Recoletos, which is now the principal literary café of Madrid and has what is probably the pleasantest terrace in the city for sitting out on summer nights; and the Café Comercial, in the Glorieta de Bilbao, patronized by a blend of the more traditional sort of Madrid folk and the "with-it" young people of the new Bohemia.

Amusing oneself in Madrid is something that requires no great effort or talent. The city's after-dark life offers a great variety of shows and places to go to. It is generally reckoned that we have the "floating population" to thank for the prosperity of the theatre in Madrid. One can always find performances of the Spanish classics, a fair selection of modern plays and also one or more of the very characteristic Madrid revues. Nobody who wants to know Madrid properly should fail to see, for instance, one of the revues at La Latina: shows of a vaudeville type, with broadly picaresque humour.

The oldest of the Madrid nightclubs are to be found in the Gran Vía, Calle de Alcalá or other streets in the centre of the city, with such "venerable" specimens as J'hay. Then there is Malasaña, a district with historical memories of the Peninsular War (it takes its name from Manolita Malasaña, one of the heroines of that war), which has been rediscovered recently and has seen the appearance in its streets of a whole series of pleasant, sophisticated night spots. The area round the Calle de Segovia has some interesting places of this sort too. And jazz fans are catered for in various establishments in the newer parts of the city. As for flamenco, it has a long and honourable tradition in Madrid and, although some of the *tablaos* have become excessively tourist-orientated, Madrid is still the one city in Spain where one can always be sure of hearing some of the most famous flamenco singers.

But now we should turn our attention once more to the Paseo del Prado, and to the prolongation of this great avenue along the Paseo de Recoletos and the Paseo de la Castellana. The Paseo proper begins in the Plaza de Atocha, which takes its name from the *atocha,* or esparto grass, that once grew in the fields around here, where for centuries there was a shrine to Our Lady of Atocha, until it was replaced at the turn of the century by the Basilica which, unfinished to this day, stands at the beginning of the Avenida Ciudad de Barcelona.

In the Plaza de Atocha, now called the Plaza del Emperador Carlos V (which incidentally, as Juan Antonio Cabezas points out, is the German title of King Carlos I of Spain, whose Spanish title has not yet been given to a single street or square in Madrid), there are some interesting buildings. One of these is the Royal College of Medicine, which has had such famous professors as Santiago Ramón y Cajal, Gregorio Marañón and Carlos Jiménez Díaz. Then there is the Atocha Station, a remarkable work by Manuel de Palacio, of which Ramón Guerra de la Vega says, in his recent collection of architectural guides to Madrid, that it is "an arch that covers the whole space and swoops down to the ground, thus providing almost eight thousand square metres of space uninterrupted by any support". The former ministry of Public Works, which is now the Ministry of Agriculture, is a building by Ricardo Velázquez, who also, as we have seen, designed the "Crystal Palace" in the Retiro.

Where "Don Quixote" Was Printed

In the Cuesta de Claudio Moyano, which goes up from Atocha to the Retiro, those who like browsing in second-hand bookshops (also known here as simply "old" or "throw-away" bookshops) will find a permanent exhibition, which is always very crowded on Sunday mornings. Both booklovers and those interested in the different "atmospheres" of a city will enjoy visiting this. But bibliographers will also find something of exceptional interest very close at hand. For as one goes up the Calle de Atocha, a plaque on the façade of Number 85 tells us that this was where Juan de la Cuesta had his printing-house and, consequently, the place where the first edition of *Don Quixote* was printed.

Continuing our walk, with the ornamental railings of the Botanical Gardens —another elegant design by Juan de Villanueva— on our right, we finally reach the Prado Museum. The Botanical Gardens, incidentally, which have been closed for so long, will shortly be opened again for all to admire the splendid collection of plants from all over the world, a collection initiated by Carlos III. In the old days the Prado was popularly known in Madrid as the "Museum of Paintings", but this name has long been forgotten, as we are told by Eugenio d'Ors, author of what is still probably the best guide to this museum. And as a collection of paintings the Prado is unrivalled in the whole world, for apart from its collections of works by Spanish painters —Ribera, Murillo, El Greco, etc., but above all Velázquez and Goya— it has an extraordinary number of paintings of the Flemish, German and Italian schools.

Eugenio d'Ors used to say that if the Prado were on fire and he could save only one picture, he would unhesitatingly choose Mantegna's *Passing of the Blessed Virgin*. Hemingway, apparently, preferred Andrea del Sarto's portrait of his wife, *Lucrezia del Baccio del Fede,* and, we are told, once even made a date with a girl he had picked up somewhere to meet in front of it. Any visitor can try this game of deciding which his own favourite is, but he will find it a hard task to choose just one. Hieronymus

En esta página y en las anteriores varios aspectos
del Palacio de Cristal, obra de Ricardo Velázquez,
en el Parque del Retiro.

*On this page and the preceding ones, various
aspects of the Palacio de Cristal, designed by
Ricardo Velázquez, in the Buen Retiro park.*

Arriba estatua de Pérez Galdós, obra de Victorio Macho.

Above, the statue of Pérez Galdós, by the sculptor Victorio Macho.

Bosch's *Garden of Deleights;* Van der Weyden's *Deposition of Christ;* Zurbarán's *Still Life; The Maids Honour* or *The Spinners,* by Velázquez; *The Third of May* by Goya, or the series of "Black Paintings" that Goya created for his famous villa, "The Deaf Man's House': these are merely a few names taken at random in a list that does not even include Dürer, Patinir, Tintoretto, Correggio, Titian, Rubens or Rembrandt.

But, since this book is devoted to Madrid, there are two painters in the Prado who deserve special mention: Velázquez and Goya. Neither was born in Madrid, which is the case of many people living in the city; but if Madrid had done nothing through its history but take in these two painters, it would have done enough. And we might say that Velázquez and Goya between them sum up in brilliant fashion the two aspects of Madrid's personality, at once courtly and of the people. Standing in front of the two doors to Juan de Villanueva's fine building, the statues of Velázquez and Goya recall not only the two greatest Spanish painters but also the two artists who best succeeded in understanding the city they lived and worked in.

Not from Madrid either, though from the nearby village of Ciempozuelos, was the architect Carlos III commissioned to design the three fountains embellishing the Salón del Prado: Ventura Rodríguez. These three fountains represent the Sea, the Sun and the Earth, but the last of the three is so famous that it often leads people to forget the existence of the other two. "Give my regards to Cibeles!" is a phrase proverbially addressed to anyone going to Madrid. Few other sculptures in the world can have been so frequently saluted as this goddess seated in her lion-drawn chariot, the figures sculpted by Francisco Gutiérrez and Robert Michel after a drawing by Ventura Rodríguez.

The Fountain of Apollo, by Giraldo de Bergaz, though a work of exquisite elegance, has never attained the popularity of its neighbour, whose goddess the people of Madrid think of almost as "the girl next door". But Neptune, in the Plaza de Cánovas del Castillo, has so much personality that he has practically pinched the name of the square from that illustrious 19th-century politician. In this Fountain of Neptune the famous writer Camilo José Cela once bathed in the course of a night on the spree.

For the god of the sea, though without being quite so much one of the family for the people of Madrid, is nevertheless very popular. The fact is that Madrid has always heard very loud and clear the call of the sea. There was even at least one madman in the past with a plan for bringing the water of the sea to Madrid by a series of canals from Valencia, making nothing of the immense altitude of the Castilian plains. In Madrid there is even a *Carretera de la Playa* ("Beach Road"), which will presumably lead anyone who believes in it to the "Beach of Madrid". And one of the most famous bars in old Madrid was called "The Sea Inn"; it was in the Gran Vía and was decorated with nets and ship's lanterns. In Madrid it is quite usual to see admirals and other seamen in the streets. And the social and gastronomical importance of seafood is so great that it is difficult to deny the common saying that Madrid is the first seaport in Spain. The sight of those establishments known as "seafood cookeries" in the arid plains around the capital merely confirms the suspicion that the real dream of Madrid is the sea.

Next to the Fountain of Neptune, which is the work of the sculptor Juan Pascual de Mena, we come to the Plaza de la Lealtad, with its monument to the heroes of the Second of May. The Salón del Prado — the city's most fashionable promenade in the Romantic era, as we are told by many travellers — was between the Fountain of Neptune and that of Cibeles. The town house of the Marqués de Linares, the Ministry of Defence and the sober building of the Bank of Spain, built at the end of the last century, form three of the corners of the Plaza de Cibeles; the fourth is occupied by what is sometimes maliciously called *Notre Dame de la Poste* — and that might really be the most suitable name for this massive, fussy wedding-cake of a building, which is in fact the General Post Office.

In the Paseo de Recoletos there is a fountain very typical of Madrid called "La Mariblanca", which was formerly in the Puerta del Sol. The National Library, designed by Jareño, the rear part of which houses the Archaeological Museum, is said by many architects to be the most important architectural undertaking of the 19th century. It contains some equally important bibliographical collections. But the Plaza de Colón ("Columbus Square"), which occupies the space where the beautiful Royal Mint used to stand, has not yet been given a satisfactory solution as regards its town-planning development. It offers us the rather mixed charms of the Torres de Colón, a building of remarkable conception, the very pompous monuments commemorating the Discovery of America and the statue of Columbus himself, which, placed as it is on the esplanade that serves as a ceiling to the City Cultural Centre, reminds one of nothing so much as a paperweight.

From this Plaza de Colón we have, on one side, the Salamanca district created by the Marqués de Salamanca, who was a notable figure in the redevelopment of Madrid; and, on the other, the old 'Boulevards", now bereft of any pretension to such a name, which lead to the typical district of Chamberí and to Argüelles, Moncloa and the University City. Above the Plaza de Colón the elegant Paseo de la Castellana has gradually been transformed over the past years from a broad avenue lined with private houses into a sort of new Manhattan which, though at first its skyscrapers looked like raw intruders, now forms a remarkable display of modern architecture. Under the Juan Bravo bridge that crosses this avenue an interesting open-air museum of modern sculpture has been created.

"The Swear-Word"

Madrid has grown so rapidly towards the north as to produce the effect of another city that has very little connection with the traditional Madrid I have been dealing with so far. On both sides of the Paseo de la Castellana (until recently called "Generalísimo Franco"), from the "New Ministries" to the Plaza de Castilla, and as far as the beginning of the road to Burgos, we have seen the brand-new districts of a modern city springing up, with buildings like those of Azca and the Plaza del Cuzco, or the ultra-modern Chamartín Station. And some of these districts, like the notorious Costa Fleming, have come to figure largely in the "secret chronicles" of the city.

At no great distance, however, there are still some elements of traditional Madrid to be found, like the very pleasant Calle de Bravo Murillo and the Tetuán district, where Madrid regains that village character which seems to have been the pride of an earlier

El jardín de «EL Capricho», en la Alameda de Osuna.

The ''Capricho'' Garden in the Alameda de Osuna.

Pavos reales en los jardines de la Fuente del Berro.

Peacocks in the gardens of the Fuente del Berro.

generation. We find another contrast to the skyscrapers in the elegant El Viso development, where all the streets have the names of rivers.

Going from skyscraper to skyscraper, we will now move on to those in the Plaza de España, which is where our stroll comes near its end. This square is not exactly a great achievement of either architecture or town-planning. Its Edificio España, though later surpassed in height by the nearby Torre de Madrid, was the first skyscraper to be built in the capital. It was popularly known then as *El Taco* ("The Swear-word"), for it was said that people could not help swearing when they caught sight of it. And the Cervantes monument, with its statues of Don Quixote and Sancho Panza, is certainly anything but glorious. The Gran Vía, on the other hand, possesses quite a number of fine buildings and is one of the streets of Madrid to which a guide has no need to recommend visitors, since they will automatically gravitate to a street like this, full of cinemas, cafeterias and shops. Between the Calle de Alcalá and the Red de San Luis, a place worth visiting is the Bar Chicote, the scene of many of Hemingway's stories of the Spanish Civil War; today it has a very interesting "drink"museum. The Red de San Luis is the elegant meeting-point of several streets, and the Plaza del Callao is one of the most important centres in the city.

Another detour worth making from the Plaza de España is to the Calle de la Princesa in order to visit the Palacio de Liria, the elegant 18th-century town house of the Duke of Alba, which has a fine collection of paintings. On the esplanade formerly occupied by the Montaña Barracks, in the Calle de Ferraz, we see today the Temple of Debod, presented to Spain by the Egyptian government in recognition of the assistance given by Spain in moving the temples that stood on the banks of the Nile below the present Assouan Dam.

After seeing the elegant Paseo de Rosales, with its fine view over the Parque del Oeste, we can go down to the Estación del Norte and the Paseo de la Florida, to visit the famous hermitage of San Antonio, so marvellously decorated by Goya with scenes of the miracles wrought by St Anthony of Padua. This hermitage has always been associated with a class of workers that has now practically vanished: the *modistillas*, or dressmaker's apprentices, who came here on the saint's feast-day to ask for his help in finding a future husband. Though the times we live in are not much given to intercessions of this sort, and the very concept of the Spanish *novio* (which can mean anything from fiancé to "boy-friend") is by now a purely historical one, gay popular festivities are still held here every summer.

The Casa de Campo

To visit Madrid without visiting the Casa de Campo would be an unpardonable omission, for it is as much a part of the city as the Puerta del Sol or the Calle de Alcalá. Now it contains the Zoo and the Amusements Park of Madrid, as well as the precinct of the Agricultural Fair. The popular character of the Casa de Campo, however, is not to be found in such places but in any ordinary spot in its vast area, under the holm-oaks or the pines. There we can see people rowing on the lake (much larger than the one in the Retiro), playing soccer on the flatter areas or lunching at a folding table, with the little family car parked beside them. Or perhaps a young man practising what the aficionados call "parlour bullfighting", with the help of a friend who carries a pair of horns to represent the bull and "charges" at the one who is rehearsing with a swirling cape or with the red cloth of the kill. During the festivities of San Isidro it is the custom in Madrid to come out here and inspect the bulls in the stockyards of the Venta del Baztán, awaiting their turn to be sent to the ring.

But to get to the Casa de Campo we have crossed the Manzanares, and the river of Madrid cannot be crossed without saying anything about it. Quevedo said of it that it was an "apprentice river"; and Vélez de Guevara, mocking those who bathed in it, said that they came out "scrubbed with sand rather than cleansed by water". Today it has been constricted into a channel and has gained something of the air of a proper river, but a few centuries ago Góngora applied a phrase to it that was typical of his biting wit: "A donkey drank me and today he has pissed me."

And yet the Manzanares has had an immensely long history. Many thousands of years ago palaeolithic hunters camped on its banks and left behind them silex hatchets and other traces of their remote culture. A visit to the Prehistory Rooms in the Archaeological Museum will show the visitor the reasons why the Manzanares deposits are considered to be among the most important in the world.

The Rastro

And now we might finish our stroll by visiting one of the best-known —and at one time most authentic— of all the districts in Madrid. From the church of San Francisco el Grande, designed by the two great architects Sabatini and Ventura Rodríguez, and with frescoes by Goya and other painters decorating its interior, we can make our way to the Puerta de Toledo and from there enter the Rastro. The main street of this Madrid "flea market" is the one called the Ribera de Curtidores, which goes from the Plaza de Eloy Gonzalo, popularly known as "El Cascorro" ("The Potsherd"), to the Calle de las Américas (a name that may have been originally intended to assure customers that they could find some sort of "treasure" there) and the Ronda de Toledo. But the best way to visit the Rastro —especially on Sundays, when the vendors set up their stalls in the roadway— is to wander along its little streets, such as Arniches, Carnero, Mira el Río or Mira el Sol, or else to go down to the square with the curious, almost Utopian name of Campillo del Nuevo Mundo ("Little Field of the New World"), for in these places you will find the most genuine things on sale in the Rastro. Not antiques, nor birds, nor pictures, nor old army uniforms —though you can find all these too— but those apparently useless little objects that belong to the infra-trade of the street, but which nevertheless find buyers. In the last few years the Rastro has changed a lot. You will no longer see the man who used to sell the "Currito de Moda" ("Flashy Frank"), or the one who extracted some sort of music from gimmicks with names like "Don Nicanor playing his Drum" or "Motherless Children". For connoisseurs of urban life, however, the place still provides an original way of getting to know the city.

And Lavapies

The district of Lavapiés, on the other side of the Calle de Embajadores, was at one time the part of Madrid most absolutely typical of the city, the "authentic" district *par excellence,* as even the names of some of its streets seem to suggest: Sombrerete, Tribulete, Espino, Amparo, de la Rosa, del Olmo, de los Tres Peces... Its later decline seems to have been checked in recent years with the new popularity of the older parts of the city. And *La Corrala*, the only example left in Madrid of the classic block of apartments with continuous loggias giving on to an inner courtyard where plays can be performed, has recently been restored.

Our stroll will conclude in an old tavern in the Calle de Mesón de Paredes, near the Plaza de Tirso de Molina: the *Taberna de Antonio Sánchez,* which has been closed for some years but has now opened again, preserving the same style as it had in the lifetime of its famous owner, Antonio Sánchez, a man who was a bullfighter, a painter and a very good host, a friend of Zuloaga and many other artists of his time. The pictures he painted are still there today, as is the head of the bull with which he took the *alternativa* (the ceremony at which a young bullfighter graduates to full-sized bulls). It was to Antonio Sánchez that Antonio Díaz Cañabate dedicated his famous book, *Historia de una taberna.*

And there you have Madrid. Or perhaps it would be more proper to say a part of Madrid, for many things have been left out of this wandering account, some because they were outside its scope, others on account of involuntary —but still unpardonable— omission. In this place which has been inhabited since the most remote antiquity, the first settlement we know of was the Moorish town called Magerit, in the days when its "famous castle" assuaged the fears of the Moorish king, as we are told in Moratín's well-known ballad. Long after its conquest by the Castilians a whim of Philip II's made it the capital of the kingdom; without any specific reason or governmental decision, apparently, perhaps only because it was not far from his favourite place, the monastery of El Escorial. Since then the city has not ceased to grow. The advantages of centralism, some may say, and it is true enough. But also thanks to the endeavours of its native sons and of those who, though not born there, did not take long to regard themselves as true *Madrileños* and equally rightful sons of this most welcoming city.

If my kind reader and companion will permit me to end my account with music, I would recommend a beautiful piece by a composer who succeeded excellently in expressing the duality of the courtly and the popular in the soul of this city: the *quintettino* entitled *Musica Notturna di Madrid,* by Luigi Boccherini. To its strains I take my leave, and trust that the reader may enjoy it. ■ L. C.

Página anterior, el Café Gijón, lugar de encuentros y tertulias. A la derecha, la Plaza del Dos de Mayo en el barrio de Malasaña. Página de la derecha, la Plaza de la Cibeles.

On the preceding page, the Café Gijón, a classic place for meeting friends. On the right, the Plaza del Dos de Mayo in the Malasaña district. On the right-hand page, the Plaza de la Cibeles.

La estación de Atocha, un alarde de la
arquitectura de Manuel de Palacio.

The Atocha Station, an architectural masterpiece
by Manuel de Palacio.

La estatua de Velázquez preside la entrada del
Museo del Prado. A la derecha, el emperador
Carlos en el bronce de Pompeo Leoni.

*The statue of Velázquez watches over the entrance
to the Prado Museum. On the right, Pompeo
Leoni's bronze statue of the Emperor Charles V.*

Pieter Brueghel («El Viejo»): «El triunfo de la
muerte».

*Roger van Der Weyden: «El descendimiento
de la Cruz».*

Roger van Der Weyden: The Deposition of Christ

Bosch (el Bosco) «El Carro del Heno»

Hieronymus Bosch "The Hay Cart"

Rembrandt «Artemisa»

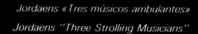

Jordaens «Tres músicos ambulantes»

Jordaens "Three Strolling Musicians"

Tiziano «Venus recreándose en la música»

Titian "Venus Listening to Music"

Goya «Saturno devorando a sus hijos»   Goya "Saturn Devouring One of His Children"

*El Casón
del Buen Retiro, que ya alberga el
«Guernica» de Picasso.*

*The Casón
del Buen Retiro, which now houses
Picasso's* Guernica.

El edificio de Correos, a veces llamado «Nuestra Señora de Comunicaciones». Arriba la fuente de la Mariblanca y la Biblioteca Nacional.

The General Post Office, sometimes called "Notre Dame de la Poste". Above, the Mariblanca fountain and the National Library.

La Plaza de Colón es hoy una mezcla de
estilos arquitectónicos.

The Plaza de Colón today is a hotchpotch of
architectural styles.

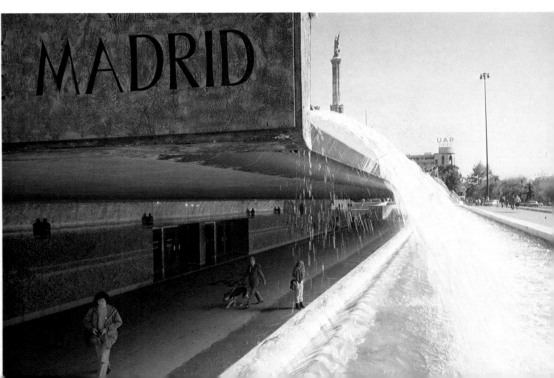

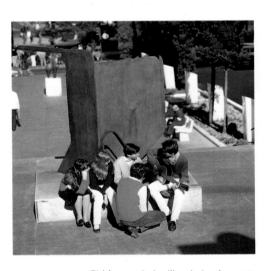

*El Museo al aire libre bajo el puente
de la Castellana.*

*The Open-air Museum, under the flyover that
crosses the Paseo de la Castellana.*

El paseo de la Castellana se prolonga ahora hasta la Plaza de Castilla.

The Paseo de la Castellana now stretches to the Plaza de Castilla.

Estación de Chamartín.

Chamartín Station.

Plaza de España con el monumento a Cervantes.

The Plaza de España, with the Cervantes monument.

A la izquierda, Puerta de Hierro.
A la derecha, la ermita de San Antonio de la Florida, decorada por Goya.

On the left, Puerta de Hierro. On the right, the hermitage of San Antonio de la Florida, decorated by Goya.

La Casa de Campo forma parte inseparable de la
vida de Madrid.

*The Casa de Campo park is an inseparable part of
the life of Madrid.*

El Manzanares «aprendiz de río», ha sido canalizado modernamente. En esta página, el Puente de Toledo.

The Manzanares —the "apprentice river", as Quevedo called it— has now been channelled between embankments. On this page, the Toledo Bridge.

La Puerta de Toledo. A la derecha, puestos callejeros en el Rastro.

The Puerta de Toledo. On the right, street stalls in the Rastro, Madrid's flea market.

FERNANDO·VII·R·H·OPTATISSIMO·REDVO.
TYRANNIDE·GALLORVM·EXCVSSA.
ORDO·MATRITENSVM,
FIDEI·VICTORIAE·LAETITIAE·MONVMENTVM·D.
ANN·M·DCCC·XX·VII.

FERNANDO·VII·R·H·OPTATISSIMO·REDVO.
TYRANNIDE·GALLORVM·EXCVSSA.
ORDO·MATRITENSVM,
FIDEI·VICTORIAE·LAETITIAE·MONVMENTVM·D.

La estatua del Cascorro preside la entrada
del Rastro.

The statue of El Cascorro guards the entrance
to the Rastro.

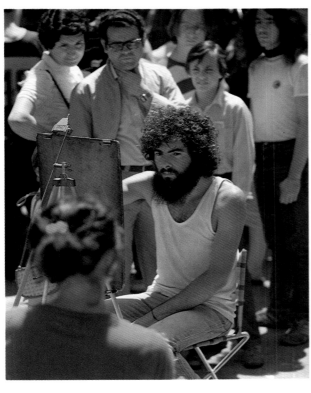

La catedral de San Isidro en la calle de Toledo.

The Cathedral of San Isidro, in the Calle de Toledo.

La Corrala, en el barrio de Lavapiés. A la derecha, la taberna de Antonio Sánchez.

The Corrala ("players' courtyard" or open-air theatre) in the Lavapiés district. On the right, the tavern of Antonio Sánchez.

El templo de Debod.

The Temple of Debod.

Se me hace un ruego que,
por mi parte,
aprecio como atención y como motivo de
satisfacción íntima y verdadera.
Porque lo que se me pide
son unas palabras
sobre Madrid.

Para empezar, lo que a mí me ocurre —y en esto creo coincidir con la inmensa mayoría de los madrileños y con otros muchos que no lo son— es que las personales ideas sobre esta singular ciudad se superponen necesariamente con sentimientos muy arraigados. Lo que piensa el Rey sobre Madrid es inseparable de lo que el Rey siente ante Madrid, y así tenemos, junto a la idea, un sentimiento de profunda emoción. Porque nos conmueve y enorgullece saber que Madrid fue ejemplar en la recepción y en la entrega: en acoger siempre a los demás con los brazos abiertos, y en dar a manos llenas lo que día a día iba creando.

Mi primera impresión de Madrid —impresión juvenil, pero que perduraría— fue la de hallarme en una ciudad con un enorme peso de historia y de cultura y, sin embargo, dotada de una increíble movilidad, de una luminosa simpatía donde la elegancia de los actos no excluía la sencillez y el marcado acento popular de su estilo. Más adelante fuí entendiendo mucho mejor todo este raro equilibrio de lo madrileño porque me percaté de que sólo los años, entre venturas y reveses, entre gozos y sacrificios, acuñan a las ciudades y a los pueblos, lo mismo que forman a los hombres. Madrid sabe de esto.

Tampoco soy insensible al proverbial piropo que se autodedica la ciudad con su «De Madrid, al cielo». No es excesiva jactancia la de esta Villa plantada en la meseta, no lejos de unas hermosas sierras, donde el cielo terrenal fue ya uno de sus mejores encantos, que luego se convertiría en cielo «velazqueño», verdad auténtica, mitad material y mitad espiritual. También hay un Madrid «goyesco», en paisaje, ambiente y tipos humanos. Las dos observaciones son muy evidentes, aunque don Francisco de Goya fuera aragonés, de apellido vasco, y don Diego Velázquez naciera en Sevilla, de progenie portuguesa.

Es bello, por ejemplo, que hablando aquí de Madrid «por fuera», su cielo, su luz y sus facciones exteriores, nos veamos transportados derechamente al Museo del Prado, una de las más preciadas joyas que puede poseer ciudad alguna del mundo. Por parecido camino iríamos a parar a nuestra Biblioteca Nacional, porque allá nos conducirían de la mano Cervantes o Lope, o Quevedo o Calderón, cuyo espíritu, hecho palabra eterna, anda por todas las calles, plazas y encrucijadas; y no sólo del viejo Madrid, sino también del más extenso, que abarca ahora hasta los antiguos pueblos aledaños, bien conocidos, asímismo, por aquellos creadores.

Me honra personalmente que mis antecesores en la Corona, al igual que, en conjunto, mis más allegados familiares y miembros de mi Dinastía, se hayan sentido entrañablemente ligados al pueblo de Madrid, que hayan sido tan madrileños. Creo que dentro del fenómeno del «casticismo» de Madrid —hecho no fácil de valorar, ni siempre bien valorado— las personas a quienes aquí recuerdo fueran más sensibles a la cordial llamada del afecto popular que a las exigencias formales del protocolo o la etiqueta.

Referencias históricas, anécdotas, sucedidos que han dejado su huella en los romances y canciones de época, hicieron justicia, a su modo, a aquel proceder de mis antepasados, de los cuales, por lo que toca a su amor a Madrid, me siento solidario en cada instante.

En el continuo trato con Madrid, me parece entender que su población no se vanaglorió nunca, en el fondo, de sus valores más propios y que en cambio supo apreciar y enaltecer cuanto le llegaba de los demás lugares de España. Como tampoco fue ajeno al acontecer del mundo, salvo en contadas y transitorias situaciones. Madrid, tal cual lo vió el poeta, fue «rompeolas» donde se dejaban sentir los impulsos de otras tierras de la Patria. Y sin dejar de acreditar jamás su propia vitalidad, fue el ser activo y cambiante que constituye siempre una ciudad auténtica. Creó, trabajó, avanzó. Y así debe seguir: haciendo Historia sobre la ancha base de su personalidad, tan original como generosa y abierta.

A todo habitante y vecino de Madrid —también al Rey— cabría preguntarle por sus preferencias dentro de la ciudad, por los aspectos, lugares o hasta itinerarios que son más de su gusto. Tanto la Reina como yo, el Príncipe de Asturias y las Infantas —que, por cierto, no conocemos mal la capital de España ni el resto del país— tenemos muchos y muy diversos lugares e itinerarios madrileños que han sido, son y serán testigos de esa preferencia. De mí digo que tengo aún ínnumeros recorridos ideales en espera de realizarlos, y que buena parte de ellos discurren por Madrid. Por un Madrid que deseo cada vez más armónico en su traza y desenvolvimiento, grande pero no desmesurado, urbe moderna propicia a los tiempos actuales, con todo su horizonte de problemas, más también de fundadas esperanzas.

No hace mucho, me complació recibir a una Comisión del Excmo. Ayuntamiento de Madrid, encabezada por su Alcalde, que me puso a la firma el acta de empadronamiento en la cual se refrendaba formalmente mi condición de vecino de la Villa. El simbolismo de este acto me produjo una honda emoción. Al estampar aquella firma, que me traía muchas memorias y me hacía pensar aún más en los destinos de todas nuestras comunidades municipales, dejé impreso mi cariño de siempre a Madrid.

Saludo aquí a mis convecinos, a toda la población madrileña, y les envío los mejores deseos de paz, felicidad y bienestar. Para el presente libro, mis votos por su éxito más completo en la noble tarea que le anima.

I have received a request which, for my part, I appreciate both as an attention and as a motive of real inner satisfaction. For what I have been asked for is some words about Madrid.

To begin with, what occurs to me —in common, I should imagine, with most people who know Madrid, whether they were born here or not— is that my personal ideas about this singular city are necessarily superimposed on very deep-rooted feelings. What the King thinks about Madrid is inseparable from what the King feels about Madrid. For I am moved and proud to know that Madrid has always been exemplary in receiving and giving: always welcoming every visitor with open arms, and always giving freely of what it created day by day.

My first impression of Madrid —a boy's impression, but one that was to last— was of a city with an immense weight of history and culture, but endowed with incredible mobility and unshadowed friendliness, a city where even the most elegant functions had room for simplicity and something of the common touch in their style. Later on I came to understand this rare balance of Madrid life much better, because I realized that only many years, with their changing fortunes, their delights and sacrifices, mould towns and cities just as much as they mould men. And Madrid knows this well.

Nor can I feel unresponsive to that compliment Madrid pays itself in the proverbial phrase "From Madrid to Heaven". Not, after all, an excessively boastful claim for this city on its high plain surrounded by the beautiful sierras, where the sky is one of the chief attractions —that sky that has come to be called a "Velázquez" sky, a thing of absolute truth, half matter and half spirit. And there is a "Goyesque" Madrid too, in scenery, atmosphere and human types. And both of these conceptions are obvious enough, even though Don Francisco de Goya was Aragonese, with a Basque surname, and Don Diego Velázquez was born in Seville of Portuguese stock.

It is delightful, for instance, that by speaking here about Madrid "on the outside" —its sky, its light and its external features— we should see ourselves carried straight off to the Prado Museum, one of the most precious jewels that any city in the world could possess. And we might reach our National Library in very similar fashion, for we would be led by Cervantes or Lope de Vega, by Quevedo or Calderón, whose spirit, transformed into eternal words, haunts every street, square and crossing; and not only in old Madrid but also in the much larger new part that now takes in the old outlying villages, with which those writers were equally familiar.

I am personally honoured to recall that my predecessors on the throne of Spain, as well as my closest relatives and other members of my House, should have felt so close to the people of Madrid, that they should themselves have been such notable *Madrileños*. I think that within the phenomenon of the "authenticity" of Madrid —not an easy factor to assess, nor one always assessed at its true worth— the men and women I am now recalling were more responsive to the cordial appeal of their people's affection than to the formal demands of protocol or etiquette.

Historical references, anecdotes, events recorded in the popular songs and ballads of their time: all these did justice in their fashion to this attitude of my ancestors, with whom I feel identified at all times in this matter of their love for Madrid.

From my continuing acquaintance with Madrid it seems to me that its citizens have never really boasted of their own characteristic qualities, while on the other hand appreciating and extolling all that came to them from other parts of Spain. Nor has the city been indifferent to outside events, except in very occasional and transitory circumstances. One poet speaks of Madrid as a "breakwater" that receives waves of impulses from all the other regions of Spain. And without ever ceasing to evidence its own vitality, Madrid was always that active, developing entity that every true city must be. It created, worked and advanced. And so it should continue: building history on the broad foundation of its personality, which is as original as it is frank and generous.

Every inhabitant and citizen of Madrid —the King, too— should be asked his preferences regarding the city; that is to say the aspects, places or even itineraries that most appeal to him. The Queen and I, as well as the Prince of Asturias and the Infanta (all of us, incidentally, quite well acquainted with both the capital of Spain and the rest of the country), have many and very different places and routes in Madrid that we prefer to others. For my own part I have innumerable ideal journeys that I still hope to make, and many of these are in or around Madrid. A Madrid that I hope to see growing ever more harmonious in its planning and development: large but not inordinately so, a modern city well suited to the present age, which presents so many problems but also permits well-founded hopes.

Not long ago I was pleased to receive a delegation from the Town Hall of Madrid, headed by the Mayor, who presented for my signature the certificate of registration which formally ratified my standing as a citizen of the capital. The symbolism of this ceremony made me feel a really deep emotion. In writing that signature, which brought many memories back to me and made me think still more about the destinies of all our municipal communities, I set the seal on my enduring love for Madrid.

And here I salute my fellow citizens, all the people of Madrid, to whom I send my best wishes for their peace, happiness and well-being. And as for this book, I hope that it may be most thoroughly successful in the noble task that it has undertaken.

MADRID INDUSTRIAL Y COMERCIAL

Madrid industrial y comercial

Madrid, capital de España. Madrid, sede del Gobierno de la nación, y por tanto, del gigantesco aparato burocrático de un estado centralizado y centralista. Madrid, donde todo se cuece, donde todo se gestiona, donde todo se concede, se deniega o se resuelve...

Esta es la imagen que todavía tienen de nuestra ciudad muchos que no la conocen, o no quieren conocerla. Falsa, como siempre lo es la verdad a medias. Porque Madrid, además de ser la capital del Reino —título que lleva con honrosa dignidad—, meca de políticos, hormigueo de funcionarios y norte de pretendientes de todas clases, es también una comunidad palpitante y viva de más de cuatro millones de personas, que madruga a diario para ganar el sustento, ajena a todo ese mundo oficial de prebendas y escalafones. Y así, sin darse importancia ni casi cuenta, Madrid es el primer mercado de España, la provincia de mayor producción neta total y la de mayor venta interior.

Madrid, en los últimos lustros, ha sufrido enormes transformaciones. Dejó de ser en exclusiva esa ciudad de oficinistas, residencia de aristócratas y de rentistas, plataforma de genios de Corte y escenario de políticos para convertirse en el corazón económico de la Nación. Una política desarrollista, para convertirla en la faz maquillada de un régimen político, hizo de Madrid un foco de atracción industrial sin consultar, claro está, a los madrileños. Llegaron pues las industrias y, con ellas, grandes masas de inmigración que fueron instalándose en la ciudad y su periferia. Así, Madrid creció desmesuradamente en población, riqueza y también, cómo no, en problemas.

Poco a poco el proceso fue invirtiéndose. Ya en 1975 la capital tendía a perder población. Los madrileños jóvenes se ven obligados a emigrar a los municipios del Area Metropolitana, primero, y a los de la provincia, después, expulsados por el elevado precio del suelo y por la congestión. Igual suerte corren las industrias por razón de su crecimiento, y así, los pueblos del Area Metropolitana se transforman en ciudades dormitorios y en zonas de descongestión industrial dependiendo estrechamente de la capital, donde se encuentra buena parte de los puestos de trabajo y donde se siguen tomando las decisiones económicas.

Como resultado de este proceso, el centro de Madrid pasa a ser una zona comercial y de servicios, con pocos residentes, casi todos ellos de edad y en viviendas generalmente antiguas. Las clases económicamente más favorecidas trasladan su residencia a la zona del ensanche. Pero pronto esa nueva área residencial se ve también dominada por el comercio y las oficinas, y, nuevamente, la población se traslada hacia la periferia, hacia las urbanizaciones de calidad del Norte y Noroeste de la capital, mientras que los menos afortunados se desplazan también a la periferia, pero a los barrios apresuradamente construidos y faltos de equipamientos. Y en estos cambios se van creando bolsas residenciales e incluso industriales. Aunque de forma aislada, todavía es posible encontrar pequeñas industrias e incluso huertas, establecidas en el casco mismo de la ciudad.

Ahora, los planes municipales tratan de frenar el anquilosamiento del centro y quieren hacer compatible la coexistencia de vivienda, servicios e industria, pero ordenadamente y no de la forma anárquica de antaño. Sin embargo, resulta difícil invertir el proceso, máxime cuando la ciudad física y los distintos usos del suelo están ya consolidados y se plantea paralelamente, como necesidad ineludible, la mejora de los equipamientos sociales de cada uno de los barrios.

Madrid es comercio, es industria y son servicios. Pero, sobre todo, Madrid es un importante centro de decisiones económicas y financieras, en estrecha vinculación con los grandes mercados internacionales. En la capital tienen su sede la tercera parte de las mil mayores empresas españolas; otra tercera parte mantiene importantes delegaciones, sin olvidar, por supuesto, la presencia de las grandes firmas internacionales.

Y, como Madrid es algo dinámico y en continua transformación, resulta difícil localizar geográfica y espacialmente la «city» madrileña. Tradicionalmente se encontraba en torno a la Puerta del Sol, y más adelante en ese cogollo urbano que forman las calles de Alcalá y Gran Vía, Paseo del Prado y Castellana, donde la Bolsa, los bancos y los centros comerciales polarizaban la mayor parte de la actividad. Pero actualmente otras nuevas zonas comerciales vienen a competir con las anteriores: son las de la prolongación del Paseo de la Castellana, Argüelles y la Avenida de América. Sin embargo, el casco antiguo de la ciudad viene haciendo, en los últimos años, un esfuerzo para acomodarse a los nuevos tiempos, sin perder por ello su encanto y su personalidad.

Precisamente el conservar y potenciar al pequeño comercio tradicional es uno de los objetivos que persigue la Cámara de Comercio. Para ello, la Cámara trata de recuperar el carácter tradicional y castizo del comercio localizado en el primitivo Madrid, que es una parte importantísima del patrimonio cultural de nuestra ciudad. La tradición comercial de Madrid no puede abandonarse, ni debe perderse la huella dejada en cada tiempo por una sociedad que, al hacer del comercio y el trabajo artesanal una vocación, ha dejado impresa en su obra un estilo y un sello determinante que la hace más bella. Es deber de todos luchar porque esta huella no se borre jamás. De ocurrir esto, «el viejo» Madrid perdería aquella personalidad que le hace amable y atractivo ante el visitante. La Cámara de Comercio e Industria, al mismo tiempo que potencia un Madrid moderno, va a seguir luchando para que toda la tradición de Madrid continúe reflejándose como base de un futuro que será, a su vez, tanto más hermoso cuanto más se apoye en sus verdaderas raíces.

En cualquier caso, y con independencia de dónde se sitúe la «city» madrileña, hay una cosa cierta: desde Madrid se decide, se marca y se dirige la vida económica de la nación. Aquí está el Gobierno y la Administración, las direcciones de las grandes empresas y los estados mayores de los partidos políticos y de las fuerzas económicas y sociales.

Pero en contra de lo que pudiera parecer, Madrid es la ciudad que menos vive de sus rentas. De acuerdo con su estructura funcional, el trabajo aporta el sesenta y nueve por ciento del total de renta; las mixtas (generadas por pequeños comerciantes y profesionales) representan un 14,5 por ciento; las de capital un 12,6 y las del Estado, un 3,8. Y salvo la procedente del trabajo, todas crecen a un ritmo inferior al de la media nacional.

Si importante es la participación del trabajo en la renta madrileña, especial significación tiene el hecho de que más del ochenta por ciento de los empleos correspondan a trabajos asalariados, porcentaje que supera ampliamente al de cualquier otra provincia española y que responde al importante peso específico que los servicios y la industria tienen en la economía provincial. Y, entre la población activa no asalariada, destaca la presencia de más de noventa y cinco mil comerciantes, cuarenta mil industriales y más de cincuenta y cinco mil personas que desempeñan profesiones liberales.

Con todo, la renta regional de Madrid es una de las más importantes del país, no sólo por su ritmo de crecimiento sino también por su importe. El total de los ingresos madrileños es superior al que obtienen sumadas las nueve provincias que cierran la lista

En la pág. 187, La Bolsa de Madrid, en esta página Palacio de los Congresos.

On page 187, the Madrid Stock Exchange. On this page, the Palace of Congresses.

decreciente de renta: Cuenca, Albacete, Córdoba, Orense, Jaén, Badajoz, Lugo, Granada, y Cáceres, y su valor añadido bruto es de casi cuatro veces el de Vizcaya y de cerca de seis veces el de Guipúzcoa. En definitiva, Madrid aporta el veinte por ciento de la renta nacional y, entre 1955 y 1975, su valor ha aumentado en un 285,4 por ciento. Es la primera consumidora de productos comunes, semiespecializados y especializados, seguida de Barcelona, y, ya a mucha distancia, Valencia.

Naturalmente, Madrid es también una de las provincias españolas con mayor nivel de vida y ocupa uno de los primeros lugares en la capacidad de consumo por hogar. Circunstancia que se refleja, entre otras cosas, en el equipamiento de la vivienda, en bienes de consumo, en automóviles y en consumo de energía eléctrica. En materia de equipamiento por vivienda le corresponde a Madrid un índice de 142,4, trece puntos más que Barcelona, su inmediata seguidora.

Otro índice puede serlo el de los depósitos bancarios en cuentas corrientes, a la vista y a plazo, que son muy superiores a los de las restantes provincias y su importe supera en más de doscientos mil millones a los de Barcelona, provincia que sigue a Madrid en la cuantía de los depósitos. Por otra parte, el volumen nominal negociado en la Bolsa de Madrid desborda ampliamente al de las Bolsas de Barcelona, Bilbao y Valencia.

Madrid despierta y empieza a ocuparse de sí mismo. Y ahora, ha abierto un brillante porvenir como ciudad de Ferias, nuevo e importantísimo elemento dinamizador de la actividad comercial e industrial.

IFEMA, la Institución Ferial de Madrid, es una entidad sin ánimo de lucro creada por el Excmo. Ayuntamiento, la Excma. Diputación Provincial, la Cámara de Comercio e Industria y la Caja de Ahorros de la capital de España, que ha incorporado recientemente a Madrid al concierto de las ciudades feriales españolas, brindando a los industriales de todo el país la plataforma absolutamente idónea para la presentación y el lanzamiento de sus productos. Plataforma que la industria nacional venía echando de menos con tan preciso y concreto objetivo con el que sí contaban otras ciudades españolas, algunas de ellas desde mucho tiempo atrás, favorecidas por una legislación ferial restrictiva.

Madrid, con su espléndida infraestructura hotelera —que supera en más de un 300% de capacidad, en la categoría de 3, 4 y 5 estrellas, a la ciudad ferial española que más cerca le sigue—, con su extraordinaria red de comunicaciones, tanto aéreas como de superficie, sus excelentes e innumerables espectáculos, restaurantes y comercios, ofrece al visitante-comprador potencial de una feria comercial las comodidades y el atractivo adicional que el profesional habituado y obligado a desplazarse por motivos de trabajo busca como complemento legítimo al mismo, a la hora de elegir entre varias ferias de igual o parecido contenido.

Si la razón de ser de una Institución Ferial es propiciar las transacciones comerciales y por lo tanto, y a través de ellas, el desarrollo de la industria, dentro de un marco de la máxima transparencia, consecuencia inmediata de dicha actividad es la de contribuir, de paso, a la prosperidad de la propia ciudad en que dicha actividad se desenvuelve.

No es, por tanto, extraño que desde sus inicios en 1979, todas las manifestaciones feriales que IFEMA ha realizado hayan constituido otros tantos éxitos. Ni que de la cifra de cuatro certámenes en 1978 se haya pasado a la de veintisiete en 1981. Madrid, una vez más, se pone al servicio de España para servir de insuperable escaparate a su producción industrial, una de las diez primeras del mundo.

Madrid, ciudad amable, Madrid, ciudad abierta. Madrid, ciudad amiga. Pero tam-

bién sede de una formidable potencia industrial, y de un comercio, grande y pequeño, que por su calidad y servicio puede compararse, sin desdoro, con el de las más poderosas capitales europeas. Madrid, lugar de nacimiento o de residencia del doce y medio por ciento de la población española, una comunidad laboriosa que trabaja para construir un mejor futuro para todos.

ADRIAN PIERA
Presidente de la Cámara de
Comercio e Industria de Madrid.

Trade and Industry in Madrid

Madrid, the capital of Spain. Madrid, the seat of the Government of the nation —and, consequently, of the enormous bureaucratic apparatus of a centralized and centralistic state. Madrid, where every political pie is baked, where everything is negotiated, where everything is granted, refused or resolved...

That is the image of Madrid which is still current among many who do not know our city or do not want to know it. A false image, as false as half-truths always are. For Madrid, in addition to being the capital of the kingdom (a title it bears with conscientious dignity), the Mecca of politicians, a teeming ant-hill of civil servants and a magnet that draws all sorts of adventurers, is at the same time a living, throbbing community of over four million people, a town that gets up early every morning to earn its daily bread, so to speak, and has little or nothing to do with all that bureaucratic world of sinecures and hierarchies. And so Madrid today, without boasting of the fact and almost without noticing it, is the most important market in Spain, the province with the highest net production and the one with the largest domestic sales.

In the last few decades Madrid has undergone tremendous changes. It is no longer simply a city of office workers, a place of residence for aristocrats and idle rich, a platform for superstars and a stage for politicians, but has become the economic centre of the country. A policy of development at all costs, intent on using the city as the glamourized face of a political régime, made Madrid a centre of attraction for industries— without consulting the citizens, of course. So the industries came, and with them great masses of immigrants who settled all over the city and its outskirts. In this way Madrid gained an enormous increase in population, wealth and, naturally, problems.

Then, little by little, the process started to reverse. As long ago as 1975 the population of the capital showed a tendency to diminish. Congestion and the high cost of building land forced young couples in Madrid to emigrate, first to the townships of the Metropolitan Area and then to villages in the surrounding province. Much the same fate has befallen the factories, thanks to their proliferation; and so the villages of the Metropolitan Area have become dormitory suburbs and industrial congestion relief belts, heavily dependent on the capital itself, where most of the jobs are and where the important economic decisions are still taken.

As a result of this process, the centre of Madrid has become a largely commercial and services area, with few inhabitants and those few nearly all elderly and usually living in fairly old houses too. The economically privileged classes at first moved out to the district known as the *Ensanche* (Extension). But this new residential quarter was soon equally overrun with stores, shops and offices, so that the residents started to move outwards again, to the better-class residential estates in the north and north-west of the city. The less well-to-do had to move out from the centre too, but they ended up in dreary rows of jerry-built blocks of flats, ill-provided with amenities. And in their wake these changes left occasional residential and even industrial "pockets". One can still find, indeed, though few and far between, small factories and even market gardens well within the city limits.

Today our town planners, in their efforts to stop this creeping paralysis of the centre, are trying to bring about the peaceful co-existence of residents, services and industry, but in a more orderly way than the higgledy-piggledy fashion prevailing until recently. And yet it is difficult to reverse this process, especially when the various uses made of the city's actual physical space are already well consolidated —and we are faced at the same time with the inescapable necessity of improving the social amenities of all the city's districts.

Madrid, then, means trade, industry and services. Above all, however, Madrid is an important centre of economic and financial decision-making, and one that is closely connected with the great international markets. One-third of the thousand largest Spanish companies have their head offices in the capital, while another third maintain major branch offices here. Nor, of course, should we forget the ubiquitous presence of the great multinational firms.

But since Madrid is a dynamic place, one that is constantly changing, it is rather difficult to pinpoint any given part of its geography as the home of high finance. For many years the city's financial district lay around the Puerta del Sol, and at a later period in the network of streets enclosed by the Calle de Alcalá, the Gran Vía, the Paseo del Prado and the Paseo de la Castellana, where the Stock Exchange, the big banks and the shopping centres accounted for most of the local activity. But more recently another, newer business area has been challenging the supremacy of this established stronghold: the area that lies along the newer part of the Paseo de la Castellana, the Calle de Argüelles and the Avenida de América. In the last few years, however, the older part of the city has made great efforts to adapt to changing times, without thereby losing any of its charm or individuality.

As a matter of fact, the preservation and encouragement of the small traditional trades is one of the objectives now being pursued by the Chamber of Commerce, which with this in mind is trying to restore the traditional and authentic character of the small businesses located in the old centre of Madrid, for these concerns are an extremely important part of our city's cultural heritage. For this commercial tradition of Madrid

INSTITUCIÓN FERIAL
DE MADRID (IFEMA)

cannot be abandoned, nor can we permit the loss of the imprint left down through the centuries by a society which, in making a vocation out of trading and craftsmanship, has left a style and a stamp on its work that makes it more beautiful. It is the duty of us all to ensure that such traces of the past are never wiped out, for if such a thing happened, "old Madrid" would lose that individuality that makes it so charming and attractive to the visitor. And so the Chamber of Commerce, while working hard to promote the modern city, will at the same time maintain its efforts to make sure that all the tradition of Madrid will continue to exist as the basis for a future which will in turn be all the more splendid insofar as it nourishes itself on its true roots.

At all events, and independently of where the business district of Madrid may be located, one thing is certain: it is from Madrid that the economic life of the country is decided, marked off and directed. For here we have the Government and the Administration, the head offices of all the really big companies, the headquarters of the major political parties and the centre of all the economic and social forces of Spain.

Contrary to what appearances might suggest, however, of all Spanish cities Madrid is the one that depends least on unearned income. According to its functional structure, gainful work provides sixty-nine per cent of the total income, while mixed sources (corresponding to small tradesmen and professional people) represent 14.5 per cent, invested capital 12.6 per cent and emoluments from the State the remaining 3.8 per cent. Except for the incomes deriving from work, moreover, all these income figures are growing at a slower rate than the national average.

While the percentage participation of gainful work in the generation of the total income of Madrid is certainly high, a particularly significant fact is that eighty per cent of the occupations concerned are salaried positions, a percentage which is considerably higher than in any other Spanish province and one that shows the considerable specific weight of services and industry in the economy of the province of Madrid. And among the non-salaried active population mention should be made of over ninety-five thousand shopkeepers, forty thousand industrialists and over fifty-five thousand people engaged in liberal professions.

Neverthelss, the regional income of Madrid is one of the most considerable in the country, not only on account of its growth rate but also because of its sheer amount. For the sum total of Madrid's income is greater than that obtained by adding together those of the nine provinces at the bottom of the list of provincial income figures: Cuenca, Albacete, Cordova, Orense, Jaén, Badajoz, Lugo, Granada and Cáceres, and its gross added value is almost four times that of Vizcaya and about six times that of Guipúzcoa. Madrid, in short, contributes twenty per cent of the national income and between 1955 and 1975 its value increased by 285.4 per cent. Madrid is also the country's principal consumer of ordinary, semi-specialized and specialized products, followed by Barcelona and, but a long way behind, Valencia.

Naturally, Madrid is also one of the Spanish provinces enjoying the highest standard of living and occupies one of the first places as regards consumption capacity per household. This circumstance is reflected, apart from other things, in equipment for the home, consumer goods, cars and consumption of electricity. As far as equipment per household is concerned, the index figure corresponding to Madrid is 142.4, which is thirteen points more than Barcelona, its nearest follower.

Another significant index is that of banking deposits in current accounts, at sight or term, which are very much higher than those of the other provinces, their total amount being over two hundred thousand million pesetas more than those of Barcelona, which is the next province to Madrid as regards the amount of such deposits. The nominal value of transactions on the Madrid Stock Exchange, moreover, is far greater than that of such transactions on the Exchanges of Barcelona, Bilbao and Valencia.

Madrid is certainly waking up and beginning to take care of itself. And now it has embarked upon what promises to be a brilliant career as a city of Fairs, which should prove a powerfully invigorating element in the commercial and industrial world.

The Madrid Fair Institution (IFEMA), a non-profit organization created by the Town Hall, the Provincial Council, the Chamber of Commerce and Industry and the Savings Bank of the capital of Spain, has recently brought Madrid into the ranks of the Spanish cities which hold Trade Fairs, thus offering industrialists from all parts of the country an absolutely splendid platform for presenting and launching their products. And it is a platform that should fill a real need of our national industry, since hitherto the capital has had no body or organization with this precise, specific objective —unlike other Spanish cities, some of which have been holding trade fairs for many years now, favoured by the restrictive legislation in such matters.

With its splendid hotel infrastructure (in the three-, four- and five-star categories it has a capacity over 300% greater than that of the Spanish fair-holding city that comes nearest to it), its extraordinary network of land and air communications, its innumerable and excellent entertainments, restaurants and shops, Madrid offers the potential visitor and buyer at a trade fair all the conveniences and additional attractions that a man hardened to the necessity of such business trips expects as his due compensation for work when it comes to choosing from among several trade fairs of identical or similar characteristics.

If the *raison d'être* of a Trade Fair Institution is to propitiate commercial transactions and consequently, through them, the development of industry, within a context of maximum openness, the immediate result of such an activity is that of contributing incidentally to the prosperity of the city in which the said activity takes place.

It is hardly strange, therefore, that ever since it was set up in 1979 all the trade fairs organized by the IFEMA have been very successful. Nor need it surprise us that the four fairs held in 1978 have increased to twenty-seven in 1981. Once again Madrid has offered its services to Spain as an incomparable show-window for the country's industrial production, one of the first ten in the world.

Yes, Madrid is a charming city, an open city, a friendly city. But it is also the heart of a formidable industrial power and of a world of trade, both large and small, which in quality and service compares quite favourably with those of the most important European capitals. This is Madrid, the birthplace or residence of twelve and a half per cent of the whole Spanish population, a hard-working communyty striving to build a better future for us all.

ADRIAN PIERA
President of the Chamber of
Commerce and Industry of Madrid.

Cartel anunciador de una de las promociones de la Cámara de Comercio e Industria a favor de los establecimientos tradicionales madrileños.

Poster advertising one of the campaigns launched by the Chamber of Commerce and Industry to promote traditional Madrid establishments.

Vista aérea del Paseo de la Castellana verdadera
arteria comercial y empresarial del Madrid de hoy.

*Aerial view of the Paseo de la Castellana, the real
shopping and business centre of Madrid today.*

NUESTRO AGRADECIMIENTO A:

SU MAJESTAD D. JUAN CARLOS I

D. ANTONIO BERNABEU GONZALEZ
Ex Director General de Tráfico

Dña. INMACULADA DE BORBON
Jefa del Gabinete de Relaciones Públicas del Ente Público de RTVE

D. SABINO FERNANDEZ CAMPO
Secretario General de la Casa de S.M. el Rey

D. JUAN MARTINEZ PALAZON
Director de la Academia de Arte e Historia de San Dámaso

D. MANUEL MORATILLA ALONSO
Piloto de la Unidad de Helicópteros

D. PEDRO PASQUIN MORENO
Jefe de la Unidad de Helicópteros

D. ADRIAN PIERA GIMENEZ
Presidente de la Cámara de Comercio e Industria de Madrid

D. ENRIQUE TIERNO GALVAN

A la Cámara de Comercio e Industria de Madrid
Al Excmo. Ayuntamiento de Madrid
A la Institución Ferial de Madrid IFEMA
Y en general a todas aquellas entidades y personas que han
participado en la elaboración de este libro

Fotos de la Iglesia de los Jerónimos y Palacio de Exposiciones
y Congresos: Paisajes Españoles
Fotos de los cuadros del Museo del Prado: Museo del Prado
Foto Guernica-Picasso: © Copy SGAE, SPADEM - 1981

Colaborador: Federico Luna Wennberg
Traducción al inglés: Kenneth Lyons